Makbara

JUAN GOYTISOLO

Przełożył
Wojciech Charchalis

Edukacja i kultura

Kultura 2000

Publikacja została sfinansowana
przy wsparciu Komisji Europejskiej.
Wyraża ona jedynie opinie jej autorów, a Komisja
nie może być pociągnięta do odpowiedzialności
w zakresie wykorzystania informacji w niej zawartych.

Tym, którzy ją zainspirowali
i którzy jej nie przeczytają

W lodowatej wodzie egoistycznego wyrachowania
Karol Marks, *Manifest komunistyczny*

Wie to świat wszytek; jeśli biegnie za nią,
Dostąpi niebios, które są otchłanią.
William Szekspir, *Sonet 129*

متـل الريـح بـة الشبكة

(Życie przepływa przez nas jak wiatr w sieci)
Marokańskie przysłowie

Przybyły z tego świata

na początku był krzyk – trwoga, niepokój, przestrach,
chemicznie czysty ból? – przedłużony, wzmocniony,
przeszywający do granic wytrzymałości – duch, zjawa,
monstrum przybyłe z tego świata? – w każdym razie poruszające wtargnięcie – przerwanie miejskiego rytmu,
harmonijnego koncertu dźwięków i głosów schludnie
ubranych statystów i aktorów – oniryczne objawienie –
zuchwałe, brutalne wyzwanie – niesamowita powierzchowność naruszająca normy – skrajne zaprzeczenie ist-
niejącego porządku – oskarżycielski palec wskazujący na
radosne i ufne miasto eurokratycznokonsumistyczne –
bez potrzeby unoszenia wzroku, wysilania głosu, wycią-
gania żebrzącej dłoni czarnym gestem lucyferskiej dumy
– zatopiony w odwrotnej stronie spektaklu, jaki tworzy –
obojętny na przerażającą nowinę, którą rozsiewa, prze-
chodząc – wirusa zakażającego ciało miasta w rytm de-
lirycznego marszu – ciemne stopy, bose, nieczułe na
srogość pory roku – obdarte wyświechtane spodnie z zaimprowizowanymi wywietrznikami na poziomie kolan –
płaszcz stracha na wróble z kołnierzem podniesionym,
aby chronić podwójne wyobcowanie – iść przed siebie
w zamyśleniu po mrowiącym się chodniku bulwaru –

przejść mimo trafiki, krawca, skrzyżowania na rue du Sentier, tarasu kawiarnio-restauracji, salonu gier – zwyczajowej kolejki przed wejściem do Reksa, wyjścia z metra na Bonne Nouvelle, kiosku z gazetami, ulicznego straganu sprzedawcy cukierków i lodów – przed zawsze przystrojonym budynkiem niebywale oficjalnego rzecznika klasy robotniczej – utorować sobie przejście pośród niespiesznego i pozbawionego łokci tłumu – na podstawie zwykłej, dosadnej władzy swej rażącej obecności – widziałaś, mamo? – Wielki Boże, nie patrz! – to niemożliwe! – żabko, nie widzisz, że naprzykrzasz się temu panu? – przestaniesz rozdziawiać gębę jak jakaś idiotka? – co mu się stało w twarz? – cii, stul dziób! – to nieprawdopodobne, że puszcza się ich samopas! – idzie jak pijany! – stuknięty czy co?! – nie gadaj tak głośno, może cię rozumieć! – uważaj, żebyś go nie dotknęła! – należałoby tych wszystkich odesłać do ich kraju! – to ci dopiero, mamy płacić za ich podróż z naszych podatków! – naziści mieli rację! – ja jestem pewien, że to syfilis! – nagle natknął się na bożonarodzeniowego niedźwiadka, reklamę tryumfalnego filmu Walta Disneya – przedmiot czułej uwagi dzieciarni zwoływanej przy użyciu bębna i talerzy – wzdłuż wijącej się kolejki rodziców, z uśmiechniętymi dzieciakami w ramionach – powiększona replika tych dobrodusznych pluszowych niedźwiadków, które ozdabiają dziecięce łóżka w ciepłych mieszkaniach mieszczan – mięsożerny ssak, stopochodny, o ciężkim miękkim ciele, gęstej sierści, grubych i mocnych łapach, silnych zakrzywionych pazurach – samotny mieszkaniec zimnych krajów, inteligentny, przebiegły, rozumny, o przysłowiowej śmiałości oraz odwadze w chwilach i sytuacjach zagrożenia – sprowadzony do poziomu lalki dzięki aktorowi, z hollywoodzką dozą niewinności – kompletny brak wiświsiaka w kozim kroczu – pozbawiony najszlachetniejszych atrybutów swego ostrego temperamentu – stają ze sobą twarzą w twarz, obaj nieco zaskoczeni – czas na wymianę obojętnych spojrzeń, powściągliwych – ciało także oswojone, podporządkowane im – wstyd, upokorzenie, obrzydzenie, oto co nazywa się życiem! – płacić, ciągle płacić, dach, ciepło, sen, jedzenie, płacić, płacić, po to przychodzimy na świat? – pozostawia go w końcu jego niezgrabnym ruchom – zajęciu sprzedawania swojej żałosnej wesołości – stawia czoło nieruchomym zderzakom na rue Poissonnière, w stronę przeciwległego chodnika – obfity ogródek Madeleine Bastille – eskortowany bezlitosnym spojrzeniem kandydatów do przynoszącego szczęście technikoloru Walta Disneya – ciemne stopy na lodowatym asfalcie – iść, ciągle iść, daleki od niemego odrzucenia przechodniów – od błogosławionej roztropności, z jaką usuwają się na bok, by uniknąć kontaktu – od aseptycznej, przezornej obawy i jałowego wyrazu ich twarzy – idź przed siebie, tak, idź przed siebie, nie zatrzymuj się, nie zwracaj uwagi, działaj jak ślepiec, nigdy nie spotykaj się z nim oczyma, z chodzącym trędowatym, potworem, zadżumionym, to ty, to ty, to ty – przejść przez wylot Notre Dame de Recouvrance, wielkie obniżki w umuzycznionym magazynie tkanin – rue de la Ville Neuve, ze strzałką wskazującą kino i ogłoszenie z kuszącym programem – DOUBLES PÉNÉTRATIONS, JEUNES FILLES EN CHALEUR – LE RYTHME

MAXI-PORNO DES SCÈNES VOUS FERA JOUIR!* – jeszcze jeden ogródek restauracyjny – pół tuzina stolików chronionych przed chłodem przez grubą szybę – podświetlone akwarium z okazałymi nenufarami klientów – loża przy scenie zapewniająca uprzywilejowany widok na enigmatyczną zjawę – krok od meteka o zaskakującej powierzchowności – ciemne stopy, bose, nieczułe na srogość pory roku – obdarte wyświechtane spodnie z zaimprowizowanymi wywietrznikami na poziomie kolan – płaszcz stracha na wróble z kołnierzem podniesionym, aby chronić podwójne wyobcowanie – ja sam – obraz przybyły z tego świata – pozornie niezdolny do obiektywnej oceny swojej sytuacji poza kwestiami finansowymi, *daiman el-flus,* nieustanny problem z pieniędzmi – odporny na szydercze myśli tłuszczy rozlewającej się po chodniku – *un fou probablement, qu'est-ce qui peut se passer dans sa tête?* – w duchu wybucha śmiechem – jakby nie wiedzieli! – jakby nie wiedzieli, co mi krąży po głowie! – wstyd, upokorzenia, obrzydzenie, oto, co nazywają życiem – a może są też ślepi! opłynąć róg rue Thorel, dwie kobiety z policji municypalnej w mundurach o kolorze oberżyn – zajęte wypisywaniem formularzy mandatów źle zaparkowanym samochodom – także wstrząsa nimi niepokój, kiedy w końcu ci się przyglądają – *tu ne crois pas qu'il faudrait prévenir le Commissaire?* – *laisse tomber, on a presque fini, je veux rentrer à l'heure* – niemniej odprowadzają go oczyma, kiedy się oddala, przechodzi przed zegarmistrzem i sklepem optycznym, unikam czerwono-

---

* Przypisy tłumacza oraz przekład wtrętów obcojęzycznych znajdują się na końcu książki.

-żółto-czarnego rombowiska Kodaka, przechodzę mimo strategicznej szpicy zakładu krawieckiego, którego modele zalewają chodnik – kontynuować za trafiką, kioskiem z kwiatami, urzędem zatrudnienia – iść, iść, ciągle jak automat – chronić się pod rozsiewanym przez siebie przerażeniem jak pod pancerzem – gdyby moje oczy ciskały ogień, gdyby moje oczy mogły razić płomieniami – nic poza mną, wszystko zniszczone na mej drodze – pożar, czysty pożar – wystawy, sklepy, samochody, domy, ich mieszkańcy – złom, kości, ruiny, cmentarz, tylko spalona ziemia! – łysy jegomość w futrze, pięcioosobowa rodzina gęsiego, wpadają na ciebie, gwałtownie przerywają szereg, rozplatają dłonie w rękawiczkach – *tu as vu sa tête, papa?* – *oui, mon petit, c'est rien, ne le regarde pas comme ça, c'est mal élevé* – następny klimatyzowany ogródek, dwuwymiarowa postać kucharza w białej czapce, trzymającego listę dań z promocyjnego menu dla turystów – niewinne osłupienie dziecięcych twarzy, ukradkowe miny, gesty widziane kątem oka – parias, zadżumiony, czarny porusza się swobodnie, patrzy na nas nie patrząc, zdaje się knuć coś w tajemnicy, napawa się dumą z naszego przestrachu – skąd wyszedł? – kto go wypuścił? – jak można go tak zostawić z tymi wrzodami i łachmanami, zamiast zamknąć na kwarantannę pod zaostrzoną kontrolą lekarską? – wyzwanie, prowokacja, próba zmobilizowania przeciw niemu odruchów obronnych permisywnego i liberalnego społeczeństwa, ale gotowego bronić się pazurami i zębami przed wszystkim, co staje wbrew porządkowi społecznemu i dobrobytowi rodziny? – zakała, parszywa owca, fałszywy trzask – rozstrojony instrument wykonujący jakąś partyturę – metafora zgubiona pośród znaków algebraicznych jakiegoś równania – komputer, który miast dostarczyć odpowiedzi oczekiwanej przez finansowych ekspertów, zmienia ich dane w płomienny poemat antywojenny! – minąć aptekę, wyjście z metra, studio fotograficzne, krawca – poprzez podwyższony chodnik, którego krawężnik u zbiegu rue de la Lune i rue Cléry stopniowo kanalizuje płynny ruch na bulwarze – zejść po nim, trzymając się poręczy, bez szybkiego rzutu okiem w starym stylu, czcigodna zwalista Porte Saint Denis – zmusić do odejścia na bok tych, którzy idą w przeciwnym kierunku, obserwują cię zmrożeni mijając się z tobą i odwracają głowy z obrzydzeniem i przestrachem wypisanymi na obliczach – kontynuować marsz, nie widząc ich, choć wiesz, że cię widzą – dreszcz przebiegający mi po plecach zdaje się zbiegać i koncentrować na karku – ale iść dalej, dalej, przejść przez ulicę pomiędzy samochodami unieruchomionymi przez światła, dotrzeć do narożnika, gdzie dniami i nocami stoi na warcie pół tuzina prostytutek – naprzód, ciągle naprzód, kioski z gazetami, *self-service*, sklep papierniczy, płyty i materiały szkolne, Afrykanie z totemami i rękodziełem folklorystycznym, uliczne wystawy Prisunic, ścieżki przepełnione ludźmi – obrzydzenie, niepokój, niesmak stopniowo pojawiają się na ich twarzach, tworzą wokół niego pustkę, otaczają go niesamowitym nimbem zagrożenia – zwierzę o niesklasyfikowanym i nieznanym gatunku, smutny wytwór fatalnego układu gwiazd – oddalmy się od niego, niech nie owionie nas jego oddech, przezornie zakryjmy nosy i usta delikatnymi sterylnymi chusteczkami – zadzwońmy do miejskiego przedsiębiorstwa oczyszczania – jego bliskość stanowi zagrożenie dla zdrowia publicznego – wszyscy możemy zostać zarażeni – kierunek bulwar Sébastopol, wtargnąć pieszo przez wejście na stację Strasbourg-Saint Denis, kiosk z jugosłowiańskimi i tureckimi gazetami, stolik typa, który w kilka sekund laminuje wszystkie rodzaje dokumentów – aż staje twarzą w twarz z uśmiechniętą strażniczką w pilśniowym kapeluszu, pogrążoną w wykonywaniu swej drobnej pracy apostolskiej – rozdawaniu ulotek z rysunkiem słońca, którego promienie rozrywają nienawistny łańcuch grzechu, i z przesłaniem fundatora misji SALUT ET GUÉRISON – wyciąga do niego ulotkę z niezmąconym wyrazem dobrotliwości, nie zwracając uwagi na to, że to ja przed nią stoję – *oui, mon pauvre ami, Dieu pense à vous, Il vous veut du bien, Il se soucie de votre salut, laissez-Le donc rentrer dans votre coeur!* – *votre maladie peut être le péché de votre âme, mais de même qu'Il a guéri le lépreux, de même Il vous pardonera chaque péché, si vous Lui faites appel – croyez moi, rien n'est impossible avec le Seigneur!* – krąg ciekawskich, natychmiastowe zbiegowisko wokół głównych bohaterów, powszechne oczekiwanie skupione na kieszeni fantasmagorycznego płaszcza, w której powściągliwie skrywa rękę – przyjmie? – weźmie prostokątną karteczkę, którą ufnie wyciąga w jego stronę pobożna działaczka? – zawieszenie trwa przez kilka sekund – niebywały wyraz twarzy świątobliwej, cisza gapiów przyczajonych obok zjawy i jej nieprzewidywalnej reakcji – w końcu wątpiąca kończyna wychyla się z opieszałością zmartwychwstałego porzucającego mrok grobowca, zarysowuje, tknięta nagłą łaską, ruch, jakby chciała przyjąć kartkę, lecz zmienia zdanie, unosi ją z władczą wściekłością, uderzasz nią w środek jej policzka, wymierzasz jej głośny policzek – *ma bghit uallu mennek, smaati?* – i dodajesz jeszcze, odwracając się do niej plecami i torując sobie drogę pośród sparaliżowanej gawiedzi – *naal d-din ummek!* – szepty, okrzyki zdumienia, bojaźliwe, spóźnione reakcje zelżonej godności – *ça alors! – j'ai jamais vu une chose pareille! – ils se croient tout permis! – frapper publiquement une femme! – oh, vous savez, chez eux, je les connais bien, j'ai vécu quinze ans là-bas! – avez-vous besoin de quelque chose, Madame? – c'est rien, Monsieur, c'est rien, un pauvre malheureux, il n'est pas sain d'esprit, on peut pas lui tenir rigueur de son geste!* – bezpieczny – poza zasięgiem ich głosów, po drugiej stronie bulwaru – ogródek-akwarium Café de France, następny kiosk z dziennikami, damski krawiec, obniżki u kuśnierza, czarny szyld kiosko-kawiarni – iść dalej, w górę przez Strasbourg, nie zwracając uwagi na przyglądających się – zdegustowane miny, grymasy odrazy – moje obfite zbiory – schodzą muz drogi z wyraźnym pośpiechem – niezdolni do stawienia czoła wyzwaniu, jakie stanowi jego istnienie – ciemne stopy, bose, nieczułe na srogość pory roku – obdarte, wyświechtane spodnie z zaimprowizowanymi wywietrznikami na poziomie kolan – płaszcz stracha na wróble z kołnierzem podniesionym, aby chronić podwójne wyobcowanie – uszy, mój Boże, gdzie są uszy? – następne kino, potrójny program obwieszczony świetlistym migotaniem – À PLEINS SEXES, DECHAÎNMENT CHARNELS, LES JEUNES BAISEUSES – INTERDIT AUX MOINS DE 18 ANS – tak jak ogień, tak, tak jak ogień, oblicza, ubrania, uśmiechy, polać to wszystko benzyną, zapalniczka, żagiew, moje oczy miotaczami płomieni, destrukcja, potoki fosforu, krzyki, ludzkie pochodnie – w perypatetycznym zakątku na rue de Metz – przejść przez jezdnię po omacku – pracowicie brnąć w stronę drugiego brzegu bez psa, przewodnika, laski – nieprzemakalny i odległy od reakcji, jaką niezmiennie wzbudza – na te – patrz na jego twarz! – nie, nie mogę, to silniejsze ode mnie, przyprawia mnie o mdłości! – może uciekł z jakiegoś przytułku – powinni go zatrzymać, zawiadomić policję, odprowadzić do najbliższej przychodni! – młody mężczyzna przyciska główkę dziecka do swej piersi, jakby chciał ochronić je przed rzucanym urokiem – inny gwałtownie przyspiesza kroku i robi gest, jakby się chciał przeżegnać – przerażenie, samotność, pustka, dojmujące uczucie śmierci lepko przylegającej do pleców – co mówi? – wygląda, jakby coś mamrotał – nie ma nikogo, kto się nim zajmie? – na oddział zamknięty, do szpitala, do więzienia, zamiast nas zarażać na ulicy! – kapelusznik, torebki i artykuły galanterii skórzanej, passage de l'Industrie, siny, siarkowożółty, jeżący włos na głowie plakat horroru – L'HORRIBLE CAS DU DOCTEUR X – wampiry pochylone nad nagimi piersiami, ostre kły, obfite potoki krwi – miesiączka panny na wydaniu przeznaczonej na podsycenie apetytu przewrotnego faustowskiego naukowca? – albo do odmłodzenia tarczycy kasztelanki, postarzałej i ukrytej we mgle i wysokościach jakiegoś *château-fort* w Karpatach? – żądne oblicze, z jakim dama, przedstawiona według kanonu królowej z Królewny Śnieżki, przygląda się, jak doktor wysysa piersi uśpionej dziewicy, najwyraźniej wskazuje na drugą i bardziej podniecającą hipotezę, wampiryzm jako owoc szlachetnego uczucia mężowskiego, służba straconej sprawie, niemniej godnej sympatii – skupić ślepy wzrok na jakby uprzednio zasłoniętym celu, drugoplanowych aktorach i statystach przedstawionych na fasadzie kina, ponad i po bokach kasy – probówkach, nietoperzach, salach do wiwisekcji, składowisku trupów transylwańskiego zamku – nie zważając na nowe i już tłumne zgromadzenie – nagle, zbity pierścień przechodniów, którzy mu się przyglądają, mnie się przyglądają, niczym dodatkowej reklamie filmu – istocie powstałej w jasnym i chorym umyśle mądrego i nieszczęsnego naukowca – w milczącym oczekiwaniu moich ruchów – zahipnotyzowani twoim wymuszonym, bolesnym bezruchem – pewnie go tam postawili, żebyśmy połknęli haczyk – to na twarzy to makijaż i farba – w dzisiejszych czasach, żeby sprzedać towar, nie cofną się przed żadną rzeczą w złym guście – za bardzo realistyczny obrazek z horroru – ubranie absolutnie doskonałe! – nie widzieć ich, nie zwracać uwagi na ich obecność, świadomie okazać im lodowatą przezroczystość, niewidzialność – uważny jedynie na fantastyczną proliferację marionetkowego plakatu sali – ekstrawaganckie istoty z niezgrabnymi stawami kraba – niekształtne kobiety, cierpiące na puchlinę albo podstępnie zapłodnione – gonitwy nocnych upiorów, umykających przed podziemną eksplozją – odrzucić rzeczywisty strach – schronić się, jak chroni się w świętości, w litościwym królestwie kłamstwa – zmieszać się z postaciami, które krzywią twarze na płótnie zwiastowania, wyciągają cię z pół płaszcza, podskakują wokół jego bosych stóp, z dzikim entuzjazmem uwzględniają mnie w swej pełzającej scenografii – iść przed siebie przez drzwi obwieszone plakatami i fotosami, przejść lunatycznie przed przestraszoną staruchą w kasie, zejść po krótkich schodach do ciasnej sali projekcyjnej – zwrócić na twą własną twarz świetlisty snop portierki, chcącej cię poprowadzić do jakiegoś pustego fotela i słyszeć jej przyduszony krzyk, zduszony krzyk kobiety, podczas gdy się cofa, wypuszcza z rąk kieszonkową latarkę, odwraca się, popycha wyjściowe drzwi, w pośpiechu wbiega po schodach – z powrotem w macicy – pogrążony w uśmierzających ciemnościach płód – chwilowo wyrwany ze swego świata dzięki szczęsnej, hojnej łasce mroku – kontemplować surowy neogotycki salon zamku przygotowany do kolacji – doktor i jego żona przewodniczą uczcie na cześć młodej, pięknej zaproszonej blondynki – prostokątny stół przepełniony potrawami, kandelabry emanują słabym drżącym światłem, majordomus uważny i z kamienną twarzą – jego przewidywalny ruch nalewania zgubnego napitku do kieliszka ofiary – złowrogie porozumiewawcze spojrzenie gospodarzy, kiedy nierozważna panna unosi go do ust i w jednej chwili zasypia jak rażona – natychmiastowe przeniesienie bezwładnego ciała do przyległego laboratorium – pełne żądzy spojrzenie kasztelanki, podczas gdy mędrzec odziera nieszczęsną z ubrań aż zostaje naga

oh, comme elle est jeune!

patiente un peu, chéri, je vais lui tirer tout son sang!

zamknąć oczy, odpocząć, spać, to ja, nie patrzą, chroni mnie przerażenie filmem, zniesione piekło, ich świat, nie zwracają uwagi na jego istnienie, zapłacili za bilet, chcą bawić się spektaklem, formą zabijania czasu, zostawiają cię w spokoju w pierwszym rzędzie, zapomnieć miasto, ulicę, tłum, surową agresję ruchu ulicznego, przebyć inne miejsca, inne okolice, lewitować na dywanie poprzez kontynenty i oceany, inny kraj, wałęsać się, gościnność, nomadyzm, ogromne, szerokie przestrzenie, inne głosy, jego język, mój dialekt, jak kiedyś, pośród nich, żywy, jestem, ruszam się, w końcu wolny, droga na rynek

Anioł

prawdziwa historia mojego życia? – nieuleczalna młodzieńcza trauma – jedyny obraz, obsesyjny, zdolny do pozbawienia mnie apetytu i snu, gdybym, jak ogół śmiertelników, noce i dnie cierpiała z powodu tak nikczemnych i prostackich potrzeb – podstawowa scena, wieczny punkt odniesienia, który ją dopada, dopadł, dopadnie – ciągłe rozpoczynanie od początku, krok do przodu i dwa do tyłu, z moim kamieniem Syzyfa na plecach – jak zlikwidować napięcie, powiedz mi, tego rozdzierającego zdarzenia? – bezskutecznie próbowałam, próbowałaś lekarstw przepisywanych przez lekarzy, tradycyjnych recept znachorów – wywarów, naparów, syropów, kompresów z lodu, ziół, smarowideł, flakonów soli – absorbującej i intensywnej pracy albo, przeciwnie, *dolce far niente*, długich okresów odpoczynku – ale nic, mój ukochany, dokładnie nic – tak samo, dokładnie tak samo jak zawsze – bretońska talasoterapia, leczenie wodą w Sidi Harassam, autokrytyka na zebraniach podstawowych komórek Partii, tępe leżenie na welwetowej kanapie psychiatry – albo odurzanie się, mówi – albo napszprycowanie się, upicie – przyjęcie wesołego i frywolnego zwyczaju, rozmyślnie infantylnego i szokującego – przychodzić do domu lekarza bez stanika, puszczać oko, kiedy wychodziła pielęgniarka, nalegać, żeby rozpiął ci pas do pończoch, udać, że zemdlałaś, kiedy cię badał – a wszystko po to, żeby wrócić do punktu wyjścia, trwać tam, gdzie byłaś wcześniej – katastrofa, kochanie – rozpacz – ani czary, ani filtry, ani seanse spirytystyczne z medium, czarnymi kotami, tańczącymi stolikami – niezdolna do sprawowania twych funkcji – krótko mówiąc – nie do odzyskania – wszystko ją nudziło tam w górze – nużąca atmosfera paternalizmu, służalcza gorliwość koleżanek, niemożliwe do wytrzymania niewolnicze podporządkowanie planowi – pełnia przekształcona w pustkę, doskonałość w stan tyranizujący, duszący – zaniedbywała obowiązki i rytuały, głośno ziewała na nabożeństwach, przerywała zebrania i akademie gwałtownym *falsetto*, ekspansywnymi, zaraźliwymi wybuchami śmiechu – i jej zły przykład się rozprzestrzeniał, groził rozprężeniem dyscypliny i, co jest jeszcze gorsze, podważeniem prawomocności i trwałości samych statutów fundacyjnych – waszego świętego dziedzictwa, nienaruszalnej, nieprzemijającej spuścizny Ojca – nie było innego wyjścia – oddać ją do Trybunału Obyczajów – zlekceważyłaś rady i napomnienia, obietnice łagodnego potraktowania i puszczenia wszystkiego w niepamięć, delikatny przymus, groźby – obstawałam przy swoim – błogosławione mieszkanie jej podobnych wydawało się zbyt przestronne – ulżyła sumieniu, wyjaśniłaś powody swego ˘zbłądzenia, przywołałam niesłychane zajścia z misji, która została nam powierzona – wizyta w domu sprawiedliwego, pożądliwe spojrzenia tłumu, oblężenie domu – jak po tym

wszystkim poddać się niezmiennej rutynie szarego
i sztywnego systemu, zorganizowanego w najdrobniejszych szczegółach? – jednolitemu roześmianemu i przej-
rzystemu wyrazowi twarzy niektórych towarzyszek, jak
tresowanych papug, które osiągały ustanowione cele,
powtarzały rozkazy, bez wytchnienia śpiewały chórem
pochwały Szefa? – ich infantylność i podporządkowanie
doprowadzały mnie do szału, ich potulność w hołdowa-
niu nepotyzmowi i kaprysom wszechwładnej szefowej
Sekretariatu przepełniały ją irytacją i przygnębieniem –
były gotowe na wszystko w imię zachowania dyscypliny
– do zanegowania spraw oczywistych, jeśli zaszłaby taka
konieczność – *credo quia absurdum* – powiedzieć czarne,
skoro widziały białe – ale to nie mogło trwać – zebrania
podstawowych komórek organizacyjnych przewidziane
w rozporządzeniach przekształciły się w bezpłodny ceremoniał, zredukowany do psalomodii niektórych usy-
piających sloganów albo do czczej paplaniny salonowej
z faworytami i krewnymi samozwańczej Rady Pośredniczącej Wszystkich Łask – bezskutecznie chciałam spro-
wokować dyskusję, przywrócić początkową czystość
pryncypiów, zedrzeć pleśń ze słów – daremnie wskazywa-
ła, wskazywałaś na błędne praktyki, które podstępnie
wpłynęły na harmonijny rozwój społeczności – biurokra-
cję, brak spontaniczności, odpolitycznienie bazy, rygo-
rystyczną cenzurę, dualizm rządzących i rządzonych,
pychę tamtych, całkowite porzucenie niższych chórów
przez ich rzekomych reprezentantów, nieusuwalność
dziewięciu hierarchii, brak przestrzeni do dyskusji, intry-
gi i gierki kamaryl, wszystkożerną koncentrację władzy

na odległym wierzchołku piramidy – nie słuchali ciebie – uczepieni oportunistycznej i dosłownej interpretacji doktryny, chowali się za swymi przywilejami niczym za niemożliwymi do zdobycia blankami, zamurowali swoje uszy, zlekceważyli moje argumenty, wskazali paluchem domniemane błędy oraz osobiste zachowania sprzeczne z obyczajnością i powagą stanowiska – zamiast płodnych dyskusji, śmiałych innowacyjnych planów, deszcz błahych oskarżeń, indolencja, relatywizm, wyolbrzymienie mojej własnej roli, subiektywizm, gwiazdorstwo – z kompulsywną histerią, nieodłączną przy wszystkich polowaniach na czarownice – ścigana podejrzliwą złośliwością swych towarzyszek, obserwowana, śledzona, szpiegowana nawet w swych najdrobniejszych gestach, ruchach, słowach – plotkarstwo, przytłaczająca atmosfera chorobliwego szpiegowania, psychoza spisku, obronna paranoja, mentalność policyjna – podstępne pytania, pogardliwe i raniące, groźne spojrzenia, oskarżające – dodawanie ciągle coraz to nowych dowodów do żałosnego procesu intencji, które wypracowywali – że zasypiałam podczas przemówień Szefa, niechętnie recytowałam modlitwy kanoniczne, po kryjomu nastawiałaś radio na zagraniczne stacje, zachwycałaś się potajemnie żurnalami mody – groteskowe oskarżenia o kosmopolityzm, niecne imitacje szkodliwych obyczajów, zagranicznych, ekstrawaganckich – albo czyste złośliwe wymysły jakiejś frenetycznej aktywistki, sekretarza o wypranym umyśle – tak jak to, że dodałam przy śpiewaniu psalmów Fiat Lux tamto Item Volkswagen, co przechodziło z ust do ust, aż dotarło do zgorszonych uszu *brain-trust* Matki – zarzuty o lekceważenie i nieposłuszeństwo, złamanie ślubów, poważne wykroczenia przeciw dyscyplinie – nie sposób było skierować debatę na rozsądne tory – działaczki oskarżały i krytykowały krzykiem, manipulowały mętnymi zeznaniami mojej nieszczęsnej towarzyszki przygody, poszukiwały kozła ofiarnego dla swych skrywanych pragnień – jednakowoż widać było wyraźnie, że zieleniały z zawiści – zazdrosne o twoją trudną, ale wyróżniającą cię misję – o łaskę, która została ci udzielona – o to, że zostałaś postawiona przed sprawiedliwymi córkami przez złych i występnych mieszkańców – uczucie widzialne spod blichtru kłamliwej pogardy, z jaką śledziły zachowanie kobiet z tego surowego i nikczemnego wszechświata – rozmowy półgłosem o sterczących piersiach, o miękkiej krągłości bioder, o rozrodczym sekrecie ich strzeżonych głębin i zakamarków – ileż to razy, za plecami hierarchów i szefów, przyłapano je na wygładzaniu fałd tuniki, gdy mierzyły paskiem skromny obwód talii! – fascynowała je, przysięgam ci, zuchwała i prowokacyjna kokieteria kobiet, niesamowita łatwość, z jaką poddawały się nieokiełznanemu apetytowi samców – te szybkie i niepohamowane zespolenia, o których mówiły z przezornym krygowaniem, otulone powłoką majestatycznego lekceważenia i powściągliwości – jaki też może być, mawiały, ten wyobrażony i nigdy niewidziany organ kobiecy, ale który przeczuwacie jako wyłożony masą perłową, kwiecisty, wyszukany, niczym wonne korony kwiatów? – czy jest może ładny, nęcący, wrażliwy, delikatny, pachnący? – debatowałyśmy w szczupłym gronie o przypadkowych prawdopodobieństwach, dopasowaniu się, cudownej zdolności rozszerzania się – dlatego że to, co wam wisi, kochanie, to było, by tak powiedzieć, chlebem powszednim – po spełnieniu swej misji informacyjnej, wysłanniczki zwykle wsadzały do walizek szkice pod różnymi kątami, które przechodziły od kręgu do kręgu bez pozwolenia na import ani pieczątki Urzędu Ceł – toteż w sumie – zamiast pogardzać kobietami, w tajemnicy byłyśmy o nie zazdrosne – tak więc ty, ona, mimo swego gładkiego i czystego ciała, przystrzyżonych włosów, aseksualnej twarzy została wybrana ponad kwiecistymi latoroślami świętego męża przez ten ośrodek wielkich znawców! – to wystarczyło, aby przyprawić o zgrzytanie zębów aktywistki z organizacji, od najniższych chórów do najwyższych w hierarchii – dlaczego ona, ja, a nie my, to znaczy one, mówiły o sobie, rozumiesz, kochanie? – umierające z zawiści, od sekretarza komórki do szefowej sekcji, pytały, natrętnie pytały – co robili, powiedz, gadaj, świnio, wreszcie to z siebie wyduś, stanął im, obmacywali cię, pokazywali ci genitalia? – a ona, ja, jeszcze w szoku po osaczeniu, krzykach, obelgach, przyłapaniu przez mężczyznę, niezdrowej ciekawości jego nieboszczki, urażonego wyrazu twarzy jego córek, błaganiu, płaczu, groźbach – prześladowana przez obraz tych dziarskich, szczeciniastych, nieokrzesanych, brutalnych, ogarniętych nieposkromioną żądzą, aby nas ujarzmić, mnie i przygnębioną koleżankę, doprowadzić do spazmów gwałtownej rozkoszy, nieznanej, dzikiej – nie mogłam, nie zdołałam zaadaptować się do parametrów normalnej egzystencji, by cierpieć z powodu antypatii ich upokorzonych towarzyszek – Trybunał Obyczajów był dla ciebie ulgą – na szczęście ostatnie Konsylium wymazało nadużycia popełnione w poprzednich okresach, podczas tak zwanego kultu jednostki, agresywnej menopauzy Matki – obecnie obozy pracy w piekle są prawie puste, jak podaje Najwyższy Przewodnik w nowej, oczyszczonej wersji swych Pism, już się nie eliminuje nikogo – przyjęła, przyjęłaś nieodwołalny wyrok – winna – i złapałam bilet, paszport, *exit permit* z mojego szarego i bezskrzydłego raju z uczuciem odrodzenia, ochrzczenia, jakiego nikt, kto go nie zna, nawet nie jest sobie w stanie wyobrazić – mrok po zewnętrznej stronie edenu, burzliwy wolny świat, do którego mnie rzucono, były dla ciebie, dla niej, zapowiedzią i symbolem przeczuwanego cielesnego szczęścia, płodnego, stymulującego chaosu zmysłów – pierwszy kontakt z miejską krzątaniną, skłębioną egzystencją metropolii, zachwycił mnie – chodziłaś do kabaretów i night-clubów, saun, pornoshopów, salonów masażu – to była logiczna reakcja na surowy i mnisi reżim, w którym żyłaś – posłuszna wielkiemu pragnieniu poznania, szlachetnej i zdrowej ochoty dowiedzenia się – filmy *hard core* w brudnym lokalu na Calle 42, przyrządy i urządzenia erotyczne dla wybrednej klienteli w magazynie na Christopher Street – elektryczne wibratory, naszyjniki i bransoletki z gwoździami, gumowe palce, kolczyki na sutki, pierścienie na jądra i fallusa, łańcuch, kneble, kajdanki, pejcze, maszynki, skóry – zmieszana, zdumiona, oszołomiona niesamowitą kolekcją pocieszycieli różnego kalibru i rozmiarów – teraz, kiedy znam istotę sprawy, już wiem – ale wtedy, kochanie, przysięgam – całe noce wątpliwości i przygnębienia, skulona w żałosnym pokoiku hotelowym, w kółko analizowałam ten problem – nie potrafiąc rozróżnić łagodnej, czystej fantazji od prozaicznej i pospolitej prawdy – oscylowałam pomiędzy jednym i drugim ekstremum z nieustannie powtarzanym pytaniem – mój boże, mój boże, gdzie jest prawda? – musiałaś dokonać jakościowego skoku, przejść od dominium czysto spekulatywnego do chwalebnej praktyki konkretu – i tam natykałam się na niemożliwe do pokonania przeszkody – jej powierzchowne ciało, przystosowane do delikatnych, szczególnych warunków eteru, pozbawione było odpowiednich organów rodnych, poza poetycką i mało prawdopodobną wiatropylnością – trzeba było się zoperować, zrobić głębokie nacięcie w twoim gołym kroczu, stworzyć delikatne naczynie, ciepłe i gościnne, gdzie urządzenie mogłoby się rozpierać do woli i wygodnie osiągnąć ekstremalne granice – odbyłam konsultacje ze słynnymi specjalistami, wyłożyła swój przypadek psychiatrom i lekarzom, zakosztowała pierwszych owoców hojnej kuracji hormonalnej – zmieniła, zmieniłaś swoje surowe, funkcjonalne habity na prowokacyjne i odważne ubrania, opinające pełne obietnic wypukłości twoich nowych i obfitych kształtów – nie odważając się jeszcze na skok do głębokiej wody, na przyjęcie wyzwania, walczyła, walczyłaś w marginalnych grupach, mniejszościowych, hiperpolitycznych, metaseksistowskich, ultraradykalnych – żądała prawa do odmienności, do realizowania się poprzez zakceptowanie swojej anomalii, do życia publicznego, w świetle dnia, według nakazów swojej niezłomnej odmienności – brała udział w zebraniach i marszach, okupacjach i głodówkach, oddałam swoje doświadczenie organizacyjne do dyspozycji różnych grupek, zmieniłam się w członka grup uderzeniowych różnych formacji awangardowych – niemniej po jakimś czasie, nie jestem już przecież dzieckiem, ujrzała powtórzenie, z najdrobniejszymi detalami, tych samych wad i przywar domniemanego jahwistowskiego raju – dogmatyzm, żądza władzy, skostnienie doktrynalne, rozwarstwienie, izolacja, potajemne odbudowywanie hierarchii – wskazałaś na niebezpieczeństwo, ujawniłaś nowe przywództwo z tym jednym rezultatem, że ściągnęła na siebie niezrozumienie, niechęć, zatruwającą urazę – ponownie oskarżona o drobnomieszczańską prywatę, pogwałcenie statutów, robotę frakcyjną, odchylenia *tous azimuts* – o czerpanie przyjemności z taplania się w błocie niedopuszczalnych luk w teorii – ponownie banita, wykluczona ze zgromadzeń i konwentykli, ofiara kalumnii wszelkiego rodzaju, trędowata, zadżumiona, zarażona – jednym słowem – depresja – zwyczajowy cykl tabletek nasennych, środków uspokajających, amfetamin – wyciskający łzy nawrót do skarg i lamentów – mętne rojenia o samobójstwie – alienacja świata przemysłowego, jego gigantycznej manipulacji dóbr i ciał zarysowała się w mojej głowie ze zbawienną wyrazistością – na nic byli pocieszyciele, przesadna kolekcja ze skóry i metalu, jeśli, kiedy przyjdzie chwila prawdy, nieodwołalne wypełnienie się godziny h, *homo faber* przedstawiał na arenie żałosny ogonek, nieśmiały, smętny, skurczony – musiałam stamtąd uciec, podjąć ryzyko skomplikowanej, wyszukanej operacji, spróbować szczęścia w nieznanych dalekich krajach – dekoracje starego miłosnego filmu były idealną scenerią, gdzie harmonijnie się wpisywały postacie mojego dawnego nieudanego gwałtu – osłupiali mężczyźni, tak jak ty, obdarzeni silnym i przekonywającym seksapilem, uzbrojeni w pyszny instrument, jedyny, nie do uniknięcia – udałam się, przebiegłam, poleciałam, przekroczyła ocean, przebyłam wysokie góry, dotarłam do równiny – głośny transformator sporządził dla ciebie kwiecisty ogród, przytulny sad, słodki i miły, w którym ostry, zniewolony żar błękitnego człowieka mógłby uśmierzyć swe pradawne, atawistyczne żądze – całą resztę już znasz, mój kochany – spełnienie odwleczonego marzenia, zrodzonego w środowisku przeklętego miasta, zniszczonego – zaprzęgnąć cię w jarzmo dziwek i prostytutek – dla *áscaris* i żołnierzy *Tercio*, wyrzucić niepotrzebne buty na obcasie, deptać na bosaka delikatne fale wydm, chodzić, zagubić się na pustyni

Morski cmentarz

powoli, powoli po dźwięcznym chaosie jezdni, pod zbitą kępę drzew, pod którymi, mój Boże, to on, jest tutaj, wrócił, gdzie? przysięgam ci, nie widziałaś go? piesi zwykle chronią się tam przed uporczywym atakiem słońca, patrzą na niego, patrzą na mnie, z lekkimi oznakami radości, zaskoczeni, dyskretne gesty sympatii, radosnego rozpoznania po tak długiej nieobecności, jakbym wyjeżdżając, zostawiając ich, niepostrzeżenie ich czegoś pozbawił, to one, moje przyjaciółki, to oni, twoi przyjaciele, brak im odwagi, żeby zatrzymać go i pozdrowić otwarcie, szepczą, z wyraźną radością szepczą: *ra hwa, faín hwa?, rah, rah, hda el-hanut d-dujan, ma katszufsz ż-żellaba żdida? daba aad szuftu* – tak, to prawda, ile czasu? zdaje się, że to było wczoraj, to niesamowite, jaki wystrojony, nie zmieniasz się, nie zmieniłeś się – chłopcy, dziewczyny, pod kaftanami można się domyślić dojrzałych ciał – kobiety grube, dojrzałe, incognito, ciemne okulary, prosta zasłona, dobrze zawiązane białe chusty – sprzedawcy losów loterii i papierosów na sztuki, pucybuty w kucki, żołnierze – czerwono-zielone berety, galony, sznury, ospali, kręcący się, szczęśliwi, trzymający się za ręce – gońcy, koniarze, żebracy, mieszczanie, śnieżnobiałe wykwintne ubrania z Fezu, policjanci drogówki z wąsami, gadający do siebie, popędliwi, paralitycy, cudzoziemcy, maluchy - buty, pałki, pas, lederwerki jakiejś pary z Sił Pomocniczych - na skrzyżowaniu wielkich arterii miasta, jeszcze dalej niż postój zawsze poszukiwanych taksówek, zanurzony w strumieniu bywalców przyległego rynku - przez podcienie, po lewej naprzeciw apteki i posterunku policji, ocieniony ogródek kawiarni, ostentacyjny jadłospis restauracji Doghmi - wyminąć zachwalających handlarzy obwoźnych ze swą szczupłą ofertą na przenośnym kramie - skarpetki spodnie koszule intymne ubrania kobiece cążki nożyczki jaskrawe obrazki zioła lecznicze - gotowi zręcznie je ukryć w okamgnieniu i znikać szybko przy najmniejszej oznace zagrożenia lub niepokoju - pospieszny exodus przez boczne zaułki w zrezygnowanym oczekiwaniu na słońce - czekając z mądrą ostrożnością weteranów na przypadkowy koniec burzy - scena powtarzana codziennie według znanej trajektorii - eskortowany przez niemy szacunek swych admiratorów - zadowolonych z posiadania go znowu pomiędzy nami, ze stwierdzenia, że ani odległość, ani czas go nie zniszczyły, ciągle nasz brat, jak za starych czasów, kiedy występował tutaj, na tych samych ulicach - przedstawienia siły i zręczności, nieporównywalnej gadatliwości, recytacji koranicznej - śmiali się do łez z jego lubieżnych historii, nagłych wybuchów śmiechu, malowniczych gestów, ścichapęk, wybiegów, dzięki którym przyciągał tłum wokół *halqa*, młody i elegancki, tak jak wtedy, zyskujący nawet na uwalniającym odjęciu uciążliwych i niepotrzebnych małżowin, szczęśliwy, że ponownie znalazłem się pomiędzy nimi, mogę stwierdzić z dumą, że o mnie nie zapomnieli – nie ma takiego drugiego jak ty – wystarczyło stanąć na chodniku, wezwać łaski boskiej, w zamyśleniu założyć ramiona, użyć charyzmatycznych słów, aby przywołać starych i młodych, zwrócić ich uwagę, utrzymać ich w ciszy, oczarowanych, napiętych, mieszkańców świata czystego i doskonałego, przejrzystego jak algebraiczny dowód – pozdrowić, wyciągnąć ręce, pocałunki, wszystkiego najlepszego, uśmiechy, wszystkie dziewczyny na mnie patrzą – kiedy wchodzi przez przedłużenie ulicy Mohamed el-Dżamis, obok handlarzy starymi ubraniami stojących naprzeciw restauracji Chamal, unikając wpadania na przechodniów, którzy wynurzają się z jedwabnego rynku, kolejka chłopców z kina Mauritania – iść przed siebie jak w snach, oślepiony rewerberem pobielonych budynków i murów, *áscaris* na przepustce, *halwaat* w zasadzie, kobiety właśnie wychodzące z hammamu stopy i ręce skrupulatnie pomalowane henną – minąć restaurację *l'Union, el-mataam el-Hurrija, ed-derb* Sebbahi – z elastycznością i dyskrecją beduińskiego nowożeńca – jakbyś ciągle miał dwadzieścia lat i szukał okazji, żeby zabłysnąć, twoje przemowy, żarty, wierna publika, która nigdy cię nie zawodzi – młode twarze w gorączkowym napięciu – wielkie, ciasno otaczające cię koło, deszcz monet, oklaski, całowanie rąk, wolność woli, odzyskany głos, pan i władca swego własnego życia, na samotnych ulicach medyny świadek dawnych tryumfów, schronienie sprzyjające tysiącu i jednemu miłosnych zmagań – dywany, baranie i kozie skóry, ciała gładkie i czyste, wiosenne kwitnienie sutków, wąskie i wilgotne szczeliny, niewinne i nieśmiałe pocałunki, soczyste migotanie śmiechu o olśniewającej szczerości – czuć napływ krwi, upartą rebelię wiświsiaka wobec swego przytłaczającego ciężaru, gwałtowne pionowe wyzwanie rzucone pozornie niezawodnym prawom – telegraf mrugnięć, rumieńców niepokoju poprzez zasłonę kwefu, raudy, hipotetyczne randki na odległość – zamknięcie w klatce, sprawny skok dzikich zwierząt, pulsująca rozkosz na kroczu bez puchu, biodra falujące jak wydmy, chętne delikatne oddanie się – przy zwiędłej witrynie Tailleur Chic i błyszczącej reklamie Au Coin de la Mode, fryzjerzy, magazyny tkanin, upał łagodzony podmuchami bryzy, bliskość morza, dostrzegalna w wilgoci bielonego tynku – ulice, puste przecznice, jak wewnątrz murów jakiegoś zaspanego portugalskiego miasta – ślady chwilowej i wątpliwej glorii, zamknięte bramy, szereg pustych balkonów, rezydencje porzucone bez skrupułów, ofiary niedbalstwa i znudzenia swych skąpych mieszkańców – *derb* Tadja, *derb* Midelt, *derb* Sidi Ali Ben Ahmed – rozpoznanie, uznanie, hołdy – wyraźnie szczęśliwi, że cię odzyskali, że podziwiają twoją zachwycającą młodość, twoją moc kuglarza, biegłość poety – zapomnieć o aseptyce, chłodzie, anonimowości, potępiających twarzach, nieprzyjaznych spojrzeniach – miłość, dyspozycyjność, przygoda, chodzenie bez celu, podniecenie, lekkość – podczas gdy zostawiasz za sobą Tailleur Diplomé de Paris, Coiffeur des Amants, emblematyczny Tailleur Choix – niebawem oblężony przez przeszywającą muzykę z tranzystora, odrzucającą melodię Jil Jilala – w końcu tu jesteś, myśleliśmy, że umarłeś, gorzej, że się zgubiłeś, że porzuciłeś swoje prawa i swoją krew – teraz wiemy, że nie – wróciłeś, nie zapomniałeś o nas – zostań w kraju, znajdziemy ci kobietę, która będzie ci służyć i towarzyszyć, chłopaki i dziewczyny pragną ciebie, z łatwością wybierzesz sobie taką, która najbardziej ci odpowiada – ulica otwarta przed tobą, przejście przez Morze Czerwone, powstrzymana furia pionowej ściany wody – cieśle, tkacze, stolarze, rzemieślnicy – dwóch staruszków w drodze do meczetu, chłopiec z postacią Bruce'a Lee wydrukowaną na plecach koszulki – oczyszczony słoną pieszczotą wiatru, namaszczony ogromną masą przejrzystego powietrza – tak jak w dni, w których po przedstawieniu na *halqa* wprowadzałeś sakiewkę monet do twego pasa, opuszczałeś aż na skronie kaptur dżellaby, szedłeś do ciepłego legowiska, gdzie jakiś młokos albo młódka czekali na mnie, żeby się kochać – minąć Tailleur des Quatre Saisons, wymieniać pozdrowienia z napuszoną kobietą o zasłoniętej twarzy, odrzucić cukierkowe zaproszenie na hinduski film, niesamowite ogłoszenie kung-fu, potknięcie się o dwóch kucających, zajętych milczącą grą w warcaby – naprzód, naprzód, *yalah, yalah*, poprzez delikatne zbocze schodzące do szosy na Sala, posępnej twierdzy, w której upycha się więźniów, krużganki i ogrody zamku – jakieś dziecko całuje jego dłoń, aby okazać szacunek, ktoś mówi, niech bóg ci błogosławi, odwraca się, zdaje się iść za mną – dokładnie na ostatnim skrzyżowaniu Mohamed el-Dżamis – ciężarówki, pojazdy turystyczne, uparte dwukołowe wozy – krzątanina sprzedawców na chodnikach, werandy, stare żaluzje z drewna, zwiędła chorągiew hotelu

Darma – grupy młodych przed drzwiami kina, nagła diaspora końca projekcji, pomieszanie bitewnych czynów karate i hindustańskiego eliksiru miłości – ostrożnie przejść przez szosę, iść prosto przez *derb* el-Ubira – szachownice wymalowane gipsem, kamyki zamiast pionków, koła gapiów wokół prostych rywali w Spassky – pusta przestrzeń, blade niebo, wędrujące chmurki niczym strzępy piany, pęki konopi przygotowane do przędzenia – na stoku, gdzie tłum się gromadził, żeby ciebie słuchać, tradycji i historii pochodzących z twojego dzieciństwa, wypas na ugorach i piaskach Tafilalt, wieczory w rodzinie przy oliwnej lampce w namiocie – dwóch strażników, na służbie w swych drewnianych wartowniach, palmy wybujałe i wysmukłe, zardzewiałe ogrodzenie, samochody z zieloną rejestracją, zaspani żołnierze i kierowcy, zwalisty budynek Sądu Sił Zbrojnych – w stronę dziury w murze zamykającym zbocze – kolejka kobiet przy fontannie, przelewanie glinianych dzbanów w korycie wody – poznanie, okazywanie czułości i miłości, błogosławieństwa, sury, winszowanie, ukłony – w końcu po drugiej stronie – przez wąski otwór, pełniący rolę przejścia – porzucony na powiew wiatru, na delikatne muskanie jego słonych porywów – kluczenie pośród anonimowych grobów, płyt i stel pokrytych mozaiką – na dodatek młodzieńcy, dziewczyny, rodziny obciążone koszami i paczkami, gotowe na wesoły dzień na wsi, wolny piątek, droga na plażę – martwe miasto owiane oddechami życia, Eros i Tanatos przemieszane – nocna bieganina *áscaris* i efebów, ordynarne włóczenie się *zumala* – dyszenie, szepty, ukradkowe pieszczoty – przedłużony spazm połączonych ciał – obrazy, wspomnienia, które nagle wypływają przez rozwidlenia ścieżki, tutaj kochałem, kochał, kochałeś, rozpływające się oblicza dziewcząt i chłopaczków, szorstkość ziemi zrekompensowana szerokością saharyjskiego burnusu – obserwować na nowo szeroką perspektywę oceanu, ponowiony galop białych rumaków, koni morskich, ofiar urwiska – wybrzeże o udręczonej rzeźbie – skały, podwodne głazy, zatoczki, falochron z cementu i kamieni, naga skała latarni – teren otoczony surowym murem, symetryczne zorientowanie tysięcy grobów wzdłuż gwałtownego spadku – w stronę pustego pola, na którym dzieci leniwie grają w piłkę na zatartych grobach, pośród resztek kruchych kości – iść dalej wzdłuż szeregu pielgrzymów w cieniu ściany Sądu, podziwiać chorągwie i proporce procesji jakiegoś bractwa, zbiec skrótem używanym przez kąpiących się, skręcić w prawo w kierunku górskiej twierdzy więzienia – oderwane widoki, przelotne obrazy, przyćmione słońcem i mgłą – piana na klifie, zrujnowane kopuły marabutów, proporce na wietrze, pióropusze palm, drobniutkie kobiety rozproszone pośród grobów niczym stado przestraszonych gołębi – przywołana obecność z wczoraj, która nieustająco się powtarza – świąteczne wizyty, w towarzystwie ich rodziców, w pustelni jakiegoś *salih* – przejażdżka konno, ubrany w biały kaftan, w dniu obrzezania – szybkie ciachnięcie nożyczkami cyrulika, krzyki bólu i radości, spazmy, yuyu, szmaty umoczone we krwi – później, znacznie później, z powrotem u marabuta z Rabatu, w nowej dżellabie i jedwabnym turbanie z Ar-Risani cierpliwie zawiniętym na twojej głowie jak

wąż gotowy do ataku – niemożliwe do ugaszenia pragnienie życia, ślimak z domem na plecach, śpiący pod gołym
niebem albo na łożu z piór, w zależności od przypływów
i odpływów zmiennego szczęścia – pocieszenie wdów,
obrońca chłopaczków, ukojenie nieszczęsnych – dumny
ze swego wigoru i elokwencji, rażącej łatwości, z jaką gromadzisz monety, i hojnie nimi szafuje w upojeniu miłosnego spotkania albo w lekkiej euforii haszyszu – czuć
młody ciężar członka pomiędzy nogami, przyspieszony
puls, kiedy dostrzega ofiarę, najlepszy, najpiękniejszy,
najsilniejszy, najbardziej przebiegły jestem ja, jest on, jesteś ty – włóczyć się pomiędzy równoległymi grobami, po
wertepach i skrótach porośniętych trawą, modły jakiejś
kobiety opatulonej w skromny ręcznik, powietrze rześ-
kie i świeże, lekka słona mgła z matową, rozmazującą
jasnością – objąć intymną i przepastną makabryczność –
nierealne rozwinięcie flag i proporców, parady członków
bractwa i pojedynki, przedwczesne pragnienie kąpiących
się – *crescendo* pielgrzymów wokół pustelni, ludzki strumień przytulony do zbocza, szalony, samobójczy galop
przeciw samotności latarni – krocząc po ciemku, niemal
po omacku, niespokojnym tropem twoich śladów – cel
niezliczonych samotnych spacerów, po zgiełku ulicz-
nych przedstawień albo znużeniu nieprzespanej nocy
– nęcony, wiesz o tym, przez jedną z postaci pochylo-
nych nad grobem, pozornie pogrążonej w żarliwej medy-
tacji – żony albo panny wystrojonej w bogaty wyszywany
kaftan, głowa przykryta jedwabną chustką, otwarta jak
najszerzej wyszukana torebka Hermès, w której niedyskretnie przegląda bogatą listę swych skarbów – kredki do

ust, kremy do twarzy, cienie do oczu, flakony perfum, podkład – watę, ostentacyjny słoik wazeliny, papier nasączony mentolem, paczkę kompresów wodochłonnych – frontowe półkule zarysowanych piersi, wyraźne sutki, gotowe się naprężyć, głębokie łono o niepokojącej dyspozycyjności – przez kwef prześwituje smakowita rozkoszność jej ust, oczy dosięgają cię niczym strzały z bardzo bliska – rzęsy ociekające tuszem, odsłonięty pieprzyk na policzku, głos szorstki i zmysłowy, romantyczna interpretacja Maroka

w końcu jesteś tutaj, czekałam na ciebie od dawna, godziny dni tygodnie miesiące lata, wiedziałam, że przyjedziesz, wrócisz do mnie, dokładnie do punktu, w którym się spotkaliśmy, kochaliśmy się jak szaleni, nie ma znaczenia, że inni mogą patrzeć, ogrzejemy kości w grobach, sprawimy, że umrą z czystej zazdrości, cała makbara jest nasza, rozpalimy ją, spłonie z nami, zginie, zginiemy, żywi, w spazmach, przytuleni do siebie

Sic transit gloria mundi

pszczoła matka w środku promieniującego ula – albo, aby być bardziej ścisłym, niestrudzona bezskrzydła robotnica przysposobiona do szczupłych wymiarów swej komórki – komóreczka jama schronienie skromnie oświetlona zenitalnym światłem, które, zawieszone ponad domkami bez dachów, usuwa zmarszczki, fałdy, kurze łapki, łagodzi wyroki dwudziestu i trzydziestu lat, szczodrze odpuszcza przymusowe roboty delikatnego złotnictwa skórnego – podczas gdy truteń krąży znudzony albo wyczerpany, węszy przez półprzymknięte drzwi, potwierdza, porównuje, zanim zdecyduje się na pilną robotnicę, której powierzy z wyniosłym lekceważeniem, z gwałtowną i surową szorstkością, akt ekstrakcji jego lepkiej, pożywnej i gęstej substancji

czekam na twój przyjazd, kochany, jestem tutaj, pełna nadziei i aktywna po tak długim czasie, nie zwracając uwagi na złośliwość i żal swych koleżanek

regarde-moi ça, elle est encore ici, qu'est-ce qu'elle fout la gardienne, crois-tu que les mecs sont aveugles?

żarty, gesty, histeryczny śmiech, zazdrość, czysta zazdrość, o mnie, o ciebie, o naszą miłość, nierozerwalne więzy, które ich łączą, zwycięzca przestrzeni, nietknięty przez czas – że to ja zostałam pokochana, wybrana i błogosławiona spośród wszystkich kobiet, łaska, dar, przychylność nieba, które ją podsyca i podtrzymuje, pomoc przy przezwyciężaniu trudności przeszkód, zgryzot, niezrozumienia, małostkowości – odtworzyć raz i drugi twój plan podróży, oddana wyłącznie jego kultowi, walcząca, zahartowana, mniszka żołnierka, zawsze w gotowości

alors tu nous laisses la place?
nie złość się, mój kochany – nie warto
tu ferais mieux de prendre ta retraite!
widzisz? – idą sobie, szybciej się męczą, moje stalowe nerwy je peszą, nieograniczona obojętność na ich prowokacje, na agresywny tupet typowy dla ich wieku – nic nie wiedzą o życiu, nie wiedzą, że miłość to krucha roślinka, wymagająca pieszczot i troskliwości, wierności wytrwałości wyczerpującego uporu pamięci, aby utrzymać cię przy życiu, abyś się nie zatarł, przeżarty przez innych, afoniczny, bez twarzy ani profilu, stopniowo zamglony, rozpływający się – dlatego z tobą rozmawiam, odkurzam zdarzenia, wspomnienia świetlistej przeszłości, chwile szczęścia i pełni, podniecającą wspólną podróż, coraz bliższą, im bardziej jest odległa

eh, toi, la vieille, pose bien ta perruque, tu ne vois pas qu'elle dégringole?
a ty – *merci*
z powierzchownością i roztropnością damy, spokojna i świadoma efemeryczności chwały, ziemskich epopei jeszcze cię widzę, siebie widzę, wałęsającą się przed koszarami, nękana zachwyconymi spojrzeniami *espahís*,

41

pokrzepiona wielorakimi i nasercowymi napitkami spo-
żytymi w barze hotelowym, rozochocona, ale nie pijana
gdzie?

prawdopodobnie w Sidi Bu-l-Abbas, jednopiętrowy budynek przyległy do Legión, patio wyposażone w skromny basen albo ogromną miednicę, którą pewnego dnia ty
albo inny olbrzym napełnił, napełniłeś, rozstawione
mocne nogi, krzepkie ręce podparte pod boki, radosna
ulga nerkowa, hojny, celny strumień, jęczmień fermen-
towany z chmielem i bukszpanem, jasny strumień
z odzysku

mylisz się, to nie było w Sidi Bu-l-Abbas

ach, tak, Jenifra, w Grand Hotelu, patio w mozaikową
szachownicę, drzewa pomarańczowe, cytrynowe, pokoje
na godziny, rzędy brązowych albo zielonych drzwi, falu-
jąca trójkolorowa flaga, ciągłe wchodzenie i wychodze-
nie żołnierzy

ubrana w lekką, delikatną sukienkę, cienkie holenderskie
koronki, szeroki satynowy pas, kaptur z lamówką z jedwabiu

co mówisz?

plutôt un voile moucheté en polyester, un léger volant de
dentelle qui soligne l'effet d'empiècement du corsage, le décolleté,
le bas de manches et la taille – une jupe très ample à peine
plongeante, coiffe et bouquet de muguet et de roses
dis donc, qu'est-ce que tu marmonnes?

zostaw je, kochany, nie zwracaj uwagi – chcieli cię ode
mnie odsunąć, zamglić moje wspomnienia, zniszczyć
twoją wspaniałą obecność, zredukować cię do popiołu,
rozpuścić go w nicości – zazdroszczą mi tego doświad-

czenia, pięknej trwałości naszego związku, najwyższego kultu, którym nieodmiennie cię obdarzam – trwam, trwasz, gdzie byliśmy?

w Grand Hotelu

tak, tam cię zobaczyłam, poderwałam, poraziłeś mnie, wysoki, krzepki, ciemny, rozpromieniony, twoja niesamowita uroda, podkreślona przez mundur *espahí*

espahí?

może regiment tubylczych strzelców – buty, lederwerki, galony, plakietka z twoim numerem, pumpy, beret z frędzlem, błyszczący i wykrzywiony rozporek – powiedziałeś do mnie *bonjour*, tylko tyle potrafiłeś po francusku, i twoje imię, M'hamed, Ahmed albo Mohamed – wyrażałeś się melodyjnie w swoim języku, a ja ciebie słuchałam w napięciu, jak filtr chłonęłam twoje słowa

nie, to nie było tak

poznaliśmy się na ulicy, szedłeś za mną, żeby uniknąć szeptów, kilka metrów w tyle, ja co chwilę się odwracałam, żeby cię zobaczyć, bałam się, że się rozpłyniesz, że stanę się ofiarą jakiegoś okrutnego urojenia, jeszcze nieprzekonana do końca o dotykalnej realności cudu

potem, kiedy się upewniłam, że jesteś z krwi i kości, celem mojego niedookreślonego pościgu, moim atawistycznym wcielonym ideałem, przedłużałam rozkoszne oczekiwanie, wymyślałam rozjazdy i objazdy, kreśliłam zygzaki i labirynty, egoistycznie odwlekałam godzinę, w której weźmiesz mnie w ramiona

śledzeni oboje surowym spojrzeniem pielgrzymów, mężczyzn lubieżnych, zasłoniętych kobiet, przedwcześnie dojrzałych, niespokojnych młodzieńców, obchodząc bez pośpiechu, w krwistym świetle zachodu, zaróżowione mury w kolorze ochry

mury?

tak, mury, to nie przejęzyczenie, kochanie, w mieście były mury, poznałam cię, poznaliśmy się, w Tarudancie, ja byłam przebrana za rosyjską carycę, w toczku i z futrzaną mufką jak te wielkiej księżnej Anastazji – bezskutecznie starałam się przejść niezauważona – w tej tajemniczej i płonącej medynie moja obecność skupiała rozproszone pragnienia, przyciągała pożądliwe spojrzenia, powodowała chrząknięcia, na szczęście niesłyszalne komentarze, mieszkałam, pamiętasz? – w hotelu kwiatów, pokój wychodził na galerię na pierwszym piętrze, ukryty pośród kaskad bugenwilli i jaśminu, wiciokrzewu, zwinnych gatunków pnących – opieszały trzask czerwonych, żółtych, białych płatków, do których silnie przywierała rosa, czysta, przyjemna, jak zaczarowana

z ocienionego patio, z centralną częścią trochę obniżoną, gdzie gęsto rósł bambus, bananowce i inne egzotyczne rośliny o liściach wielkich, mięsistych, wiecznie zielonych, o podejrzanej konsystencji plastiku, wznosiły się głosy klientów porozkładanych w cieniu, przy stołach opartych o murek, który przemyślnie okalał wiszący ogród – atmosfera intymna i sprzyjająca refleksji, oszałamiająca konsumpcja piwa Stork pod nieugiętym spojrzeniem właścicielki, gotowym natychmiast wytropić nierozważnego pijaka i zmusić go do wyjścia, do zostawienia rozkoszy ogrodu, suchym, groźnym gestem skrzywionego palca wskazującego

toi, fous-moi le camp!

zgiełk roju, brzęczenie pszczół, które ty, ja, mój kochany, słyszałam przytłumione, gdy wybierałam ozdoby i ubiory, przeglądałam skarby mojego wiana, próbowałam maści i kremy nawilżające, malowałam sobie zmysłowy pieprzyk na policzku

regardez-moi la Doyenne! – elle parle toute seule!

seule? – la seule c'est bien toi, ma pauvre fille! – ja nigdy nie idę sama – nie puszczam go ani na krok, towarzyszę mu, eskortuję go, uparcie idę za nim krok w krok

jestem z tobą, słuchasz mnie? – gdzie stanęliśmy?

tak, Tarudant, sypialnia, moje wiano, dom kwiatów – był wieczór, pamiętasz? – po skwarze dnia wieje delikatny wietrzyk, kojący, wonny – ubieram się w strój *soirée* – czarującą *robe en coton blanc imprimée de fleurettes à décolleté bateau* – włosy mam związane jedwabną chustką i włożyłam prześwitujący kwef, powabny, jakbym była muzułmanką

poczekała, aż zgęstnieje ciemność, aby zrobić wrażenie – zeszłaś po schodach, kołysząc się, powściągliwie i ze skromnością królowej – patio było pełne osiłków – wieśniaków, sprzedawców, handlarzy końmi, *áscaris*, policjantów – elektryzująca atmosfera rozwiązłości, tłumionego erotyzmu – rozmowy nagle ucichły – kąsana spojrzeniami przez ciemne, napięte twarze, z kocimi źrenicami, płomiennymi, przeszywającymi – rzeczywistość narzucała się z bezwzględnością i klarownością aksjomatu – wszystkim stawał

przeszłaś przez eden na wpół omdlała – jej apoteoza odrzucała scenerię – pogardziła propozycjami, poczęstunkami, komplementami, uśmiechami, zaproszeniami, zachwytami – wyniosła, tryumfująca, wybrana przez lud, w niepewnym oczekiwaniu na coś – i byłeś tam, mój kochany, w mundurze żuawa albo dragona, z tą twoją nieprzeniknioną, surową twarzą, wykutą mocnymi uderzeniami młota – mój wzrok instynktownie zsunął się do miejsca, w którym zbiegają się nogawki grubych zielonych spodni – mimo nieznacznego ucisku materiału, potwierdziłam jego niesforność – *mirabile visu* – mechanizm twoich argumentów był skuteczny, powalający, miażdżący!

miał, miałeś na policzku ranę albo bliznę i powiedziałeś, że się nazywasz Abdelli, Abdellah, może Abdelhadi – popatrz, jeszcze zachowuję twoje zdjęcie

wysypać portmonetkę w wątpliwej jasności piwnicy – ciemnym miejscu jej niezmordowanego apostolstwa – nie zwracając uwagi na złośliwą pogawędkę innych asystentek poświęconych, tak jak ona, niesieniu ulgi i wyładowaniu miodopłynnego nadmiaru – pracowitych robotnic w skąpej ciasnocie komórki plastra miodu

nie, to nie on, to nie ty, to bez znaczenia, doskonale sobie ciebie przedstawiam – przeszłam przed tobą ze swoimi pióropuszami, wachlarzami, diademami, cekinami, bransoletkami, naszyjnikami – przedmiot jednomyślnego zachwytu i żaru twoich towarzyszy – uwiedzeni twoim artystycznym talentem, twoim wdziękiem i bezczelnością kabarecistki

masz na imię Omar

trutnie odchodzą i przychodzą, utrzymują konieczną surowość swej władzy dzięki ponawianym manipulacjom, zatrzymują się, żeby szpiegować wnętrze komórek,

przyglądają jej się, omijają, darmo oddają swe miody
jakiejś niedoświadczonej robotnicy
alors tu ne veux pas? – tant pis pour toi!
jestem, byliśmy w Tarudancie – olśniona twoją powierzchownością, mój kochany – śpiewając Magnificat, recy-
tując swoją Hosannę – puściłam do ciebie oko z powolną
powagą portrecisty, kiedy uruchamia przed nowożeńca-
mi mechanizm zwalniający swego aparatu – obeszła cały
ogród dookoła, majestatycznie weszła po schodach prowadzących na galerię – welon ciągnął się za tobą – małżeńskie łoże czekało
moja sukienka?
encolure en pointe largement échancrée, taille haute, garniture
de tuyautés, jupe à panneau droit devant et ampleur plongeante
dans le dos, manches volantées, coiffe, bouquet de petites ané-
mones
raptowne obłapienie, walka, zrywa ją z ciebie
venez voir ce que lit la mémé! – un prospectus de Pronuptia, la
Maison du Bonheur! – elle veut se marier en blanc!
uśmieszki, kpiny, plotki, lektura na głos, podstępne pytania, głośne śmiechy
rób jak ja – nie słuchaj ich – uparcie nie chcą dostrzec
spraw oczywistych, obstają przy negowaniu ciebie
wróćmy do pokoju, naszego nieskrępowanego gniazdka
miłości, skromnego *fonduk* z Marrakeszu
hotel CTM, pucybuci, podróżni, sutenerzy, chłopcy na
posyłki, *halaqi*, kombinatorzy – spaceruję, spacerujesz
po liberalnym środowisku placu, upragnionym, poszu-
kiwanym, spowitym zręcznym współżyciem głosów, do-
tykających rąk, onirycznych wizji – heraldyczna feudalna

dama otoczona czułością swych wasali – komplementy
kwiaty zaloty szepty uprzejmości
jeszcze byłam dziewicą, kochany – ledwie do siebie
doszłam po delikatnej, niesamowitej operacji – dyskretnie poszukiwałam kogoś, komu mogłabym oddać swoją
jamkę, swoje naczynie, wnętrze kwiatu – moją cudowną
grotę z Lourdes
magiczny krąg widzów sugeruje ukrytą obecność, utajo-
ną – lśniące ciało sokoła gotowe do uczty, do ataku
– *halwaat*, chłopcy, *zumala* ujarzmieni twoim władczym
krasomówstwem, twoją zgrabną figurą, lśniącą, niesamowitą
oto ona – patrz na nią
pozy ze studia, szybkie amatorskie zdjęcia, fotografie
z fotomatonu, wymacane, dawne, wypłowiałe – sztywny
parobek, odstawiony, opanowany, z ręką wspartą na
postumencie krzykliwego dzbana z kwiatami – żołnierze
z beretami na bakier, uśpiona ręka zatopiona w kieszeni – *fukijaat* kurtki dżellaby – turbany wąsy berety maure-
tańskie
tasować na chybił trafił imiona z anonimowymi twa-
rzami – gdzie jak kiedy miejsce okoliczności dzień
przyuważona nagle przez trutnia stojącego przed jej ko-
mórką, prawdopodobnie niecierpliwie chcącego poznać
twoją zręczność, wiedzę, biegłość, praktykę, rękę, doświadczenie
tu viens, mon gars?
ale nie, też nie, idzie sobie, przechodzi do komórki obok,
woli niezręczność nowicjuszki

czekać, jeszcze cierpliwie czekać na godzinę zamknięcia – koniec seansu, zebrać swoje rzeczy, spakować manatki, wejść po schodach, przejść przez westybul, wyjść na ulicę nie na symetryczne przesuwanie się pieszych posłusznych zaklinaniom świateł, gwizdkom i przyspieszonym gestom marionetkowego policjanta, groźne brzęczenie metra nad głową, łagodne wieloryby autobusów, samotność zamknięta w błyszczących karoseriach, agresywność, podział, izolacja, niejasne przygnębienie

puste ulice, pomarańczowe migotanie, błędne cienie, samotne, emigranci, pijacy, przesuwające się postacie

dziewczynka, starucha, kobieta – bez znaczenia

w końcu ona sama

Dar Debbagh

dlaczego ja, on, a nie inni, oni? – beznamiętnie wsparci
łokciami na ogrodzeniu, zdobiący taras swymi spinkami
na mankietach, polaroidami, lornetkami, aparatami,
kamerami, potulne pstrokate stado uważne na poli-
glotyczne glosy bezbłędnego oficjalnego przewodnika
– dragoman, utypowiony, w białej dżellabie, z odwróco-
ną czerwoną doniczką, odpowiednio wyposażony w numer i tabliczkę, identyfikującą go i obdarzającą mądrą
i dobrotliwą władzą – protekcja podkreślona pobłażli-
wością gestu, którym wskazuje przewrotne dusze tego
lukratywnego piekła, w którym gnijesz – to *lasciate ogni
speranza, voi ch'entrate*, że milcząco, niejasno kieruje już
twoim spisanym przeznaczeniem – *voici le quartier des
tanneurs, Messieurs-dames, the old, local color tannery* – podczas gdy potulni członkowie stadnego bydła obserwują,
śledzą, czają się na szczycie muru, wyłaniają się znienacka pomiędzy blankami, rażą swymi aparatami skazańców, mierzą groźnymi obiektywami i powiększający-
mi soczewkami w nagle bliskie, niemal dotykalne plecy
katorżników grzęznących w studniach – upał, smród,
muchy, wystające obojczyki, zapadnięte klatki piersiowe,
gołe ramiona, zwiotczałe, wątłe – tobie, mnie, skazanym

na piekło, przedmiot obojętnej ciekawości albo pobłażliwej pogardy uwiecznionej w obrazach z pamiątkowego albumu, uśmiechnięci, chełpliwi, pewni siebie, *naal d-din ummhum*, sram na ich zmarłych – i znowu pytanie o to dlaczego, dlaczego? Panie, zawsze oni, nigdy ja, wstyd, upokorzenie, obrzydzenie, to nazywają życiem – pytania, pytania, w śmierdzącym kręgu mazi, nic mnie nie przeznaczyło do tej śmierci, urodziłem się lekki i ruchliwy, od dziecka śniłem o edenie, mierzyłeś bezmiar pustynnej przestrzeni, włóczyłeś się absolutnie wolny pośród wydm – nomadyzm, pasterstwo, wędrówka, legendy słuchane w skwarze namiotu, źródło i zalążek jego pierwszej wrażliwości – projekty, fantazje, chimery, których desperacko się czepia jak rozbitek tratwy – konieczna kompensacja w niegościnnej, brutalnej rzeczywistości – pracować ze zgiętym karkiem, niemal zgięty wpół w obmierzłej dziurze, odrywać kłaki przylegające do skóry zwierzęcia, garbować skórę, rozkładać skóry poziomo na słońcu, wytrzymywać spiekotę, fetor, muchy, starać się rozwiać w powietrzu – uciec, uciec stamtąd wraz z pozostałymi towarzyszami sromoty, przysięgać, że nigdy nie wróci, iść jak automat przez wielkie, wolne i dalekie miasto, skierować się w stronę pełnej wdzięku sylwetki Kutubiji, wyciągnąć w stronę minaretu otwarte dłonie, wezwać sprawiedliwości Allacha, błagać go, żeby cię przyjął do swego królestwa, schronić się w wyższej pewności wiary, przywołać jego dokładny opis w *xinná* – słodycz odpoczynku, chłodne miejsce do spania w upalny dzień, ogród obsadzony winoroślą i drzewami, cieniste altany, wyszukane jedwabie, potoki miodu, obfitość owoców

– znieść wspomnienia twojego miejskiego doświadczenia
– kopać jak kret, pogrążony w studni czarniejszej i ciaśniejszej niż studnia – odpoczywać – leniwe strumyki, zawsze przeczysta woda, mleko, którego wyborny smak nigdy się nie zmienia, panny w kwiecie wieku, pawilony nowożeńców, wino, które nie upija – mimo to wrócić po własnych śladach – palące powietrze, wielbłąd nękany pragnieniem, sucha równina, jałowa – potępienie, żałosne niewolnictwo, ludzie rozproszeni jak langusty, wymłócony kłos, zatrzęsienie wąsów – dalej być sierotą, brudnym, obszarpanym, smród skór uporczywie do mnie przylegający, niosący z sobą upokorzenie, upadek, niemoc, jego smutną, przenośną nędzę – spowity pogardą i odrzuceniem przez wybranych, nieumyślnie zatruwający ich powietrze – naprzód, tak, naprzód, nie zatrzymuj się, nie zwracaj uwagi, idź jak ślepiec, nigdy nie spotkaj się z nim oczyma – przejść przez medynę na piechotę, przyzwyczaić się do obaw tych, którzy rozważnie unikają twojej bliskości, powtórzyć jego trasę olśniony, nie wyciągając do wierzących ani niewiernych swej czarnej ręki, żebrzącej – płacić, płacić, ciągle płacić, dach, światło, jedzenie, płacić, płacić, po to przychodzimy na świat! – znowu studnia, wejść w nią aż do kolan, nacierać skóry, prostować skóry, rozłożyć je na słońcu niczym zesztywniałego, podeptanego żółwia – nie zważając na hałaśliwą obecność gapiów na wieży, flanki murów – bezładne, niezdecydowane stado, uważne na rozkazy i wyjaśnienia przewodnika – *packagetour* przybyły odrzutowcem z fabrycznych mgieł Pensylwanii – *oh, dear, look down the men, it's just unbelievable!* – słomiane kapelusze, ciemne

okulary, nosy chronione bibułkami do skręcania papierosów albo niepokojącymi plastikowymi noskami – odrobinę przypominają kosmitów albo rannych świeżo wypuszczonych ze szpitala – pochłonięci obserwowaniem skazańców przykutych do tej żywej ilustracji drobiazgowego, geometrycznego obłędu Dantego – jego pochylonej postaci, plecy spalone słońcem, czaszka okryta nędznym turbanem, spodenki niedbale przylegające do ud – bezskuteczna próba ukrycia przed innymi szczodrego, jedynego prezentu od Boga, asa żołądź, ponurego i pulsującego, mimowolnego powodu drwin, zazdrości, osłupienia – z wyglądu potulnego, lecz krnąbrnego, niepokornego, nieposłusznego, zawsze gotowego, by wytknąć głowę poza zewnętrzną krawędź tkaniny przy najmniejszym pobudzeniu lub nieuwadze – twoi towarzysze niedoli o tym wiedzą i robią do niego aluzje peryfrazami za każdym razem, kiedy niechcący go pokazujesz przy wstawaniu – dyskretny hołd złożony rozmiarom broni, która wzbudza żądzę i osłupienie u pobliskich ludzi i przypomina już dalekie dni twojej krótkiej i ulotnej młodości – pracować, dalej pokutować, mozolić się ze skórami zanurzonymi w ohydnie brudnej wodzie, kierować wzrok na zwodniczy cień meczetu, słyszeć przytłumione komentarze i wyjaśnienia przewodnika turystów wywyższonych na murze – zamknąć oczy, uciec, zbiec, zniesione piekło, daleki świat, nie zwracać uwagi na ich kamery, zlekceważyć ich, tak jak oni lekceważą mnie, chcą się cieszyć spektaklem, rozkoszować niezdobytą wieżą, sposobem na zabicie czasu – przejść przez miasto, zwrócić dłonie w stronę Kutubiji, poszukać wyjaśnienia twych nieszczęść, powtórzyć pytania – bieda, sieroctwo, dręczące słońce, bierna teraźniejszość, zatrzymana, daremna – przywołać twoje dzieciństwo pod osłoną głodu i pod gołym niebem, biegałeś wolny po pastwiskach, jego spojrzenie było płodne, twoja matka zapewniała, że będziesz najlepszy, najsilniejszy, najbardziej kochany – teraz wszyscy się od niego trzymają z daleka, pech naznaczył mnie swoim piętnem, przyjaciele unikają go przestraszeni – chodzący trędowaty, potwór, zadżumiony, to ty – unikać odrazy, zbierać się wraz z innymi skazańcami, szukać schronienia w garbarni – naga, szarawa plama skazy, upstrzona okrągłymi parchami, jak przy upartej ospie – jeden za każdy odpokutowany grzech – ugrzęznąć, chlupotać się w błocie, garbować skóry, zgnić za życia – czuć spojrzenia kosmitów na swych zgarbionych plecach, chudych ramionach, wiotkich nogach – bezużyteczny ciężar twojego sztywnego ogona przyciśniętego przez spodenki do ud – niepokój, poruszenie, wrzawa pensylwańskich obserwatorek – blond piękność, wytwornie ubrana na biało, szepcze z sąsiadką, namierza go lornetką, zdaje się pogrążać w głębokich rozmyślaniach – włosy spulchnione, faliste, jak czubek lodów waniliowych – oczy błękitne i obywatelskie, prezbiteriańskie, antysegregacjonistowskie, abrahamlincolnowskie – usta czerwone, jak modelki, pomalowane z wielką starannością – żywy przykład podstawowych cnót *Pilgrims* – trzeźwość, oszczędność, szczera wiara w wartość *fair play*, indywidualizm, postęp – pewnie żona jakiegoś dyrektora w lustrzanych okularach i z plastikowym noskiem, przyleciała prosto z warsztatów Koppers albo US Steel Plaza

– nagle wyprostowana nad krawędzią studni, w której zmagasz się ze skórami – schludna, powściągliwa, nieskazitelna, w żaden sposób nieokazująca swej odrazy – najwyraźniej zainteresowana tradycyjną metodą garbowania skór i jej szokującą egzotyką, fascynującą – a może nagłymi, gorszącymi proporcjami twojego nieskrępowanego, funkcjonalnego przyrządu – chytrego, sprytnego niczym nieposłuszne i figlarne dziecko – delikatnie uwolnić go z uwięzi tkaniny i całkowicie oswobodzić, dumnego i mężnego – podać usłużną dłoń kobiecie, pomóc jej zejść do wytwornego łoża studni – zanurzyć ją w błocie po kolana, otoczyć ją twoimi brudnymi i pożądliwymi ramionami, narzucić jej postaci moją porywczą postać, sprofanować biel jej szat, chciwie całować jej czerwone usta – jeszcze jest sparaliżowana zaskoczeniem, gdy zadzierasz jej spódnicę, niezgrabnymi rękami obmacujesz miękkie krocze, gładkie uda i subtelny czarny trójkąt – gładzisz srom, wsuwasz w pochwę lepkie palce, nawilżyć, przysposobić, otworzyć drogę wstrzymywanej furii twego instrumentu – rozkoszować się, przewalać z nią w brudnej wodzie, miętosić jej piersi, dosiąść okrakiem jej zadu, złączyć się z nią na oczach przerażonych turystów z wieży, nie zwracać uwagi na ich krzyki i wrzaski, zamazać szlamem, nieokiełznaniem, wyuzdaniem dawne różnice w pigmentacji – płonąć, płonąć we dwoje podczas gdy eksblondynka śmieje się i beszta zdradzonego dyrektora, wspartego na wieży ze swoimi spinkami od koszuli – *iwa, el-khal ka idrabini, jak? ida bhiti tszuf ahsan ma-tchafsz, ażi hdana!* – ale nie, to nie tak, ciągle jest z nim u góry, z innymi, blond, niedostępna, doskonała, na szczycie zwieńczonego blankami muru – skwar nędza muchy dla mnie, wszystko dla nich, oszukałem siebie, oszukali mnie, urodziłem się wolny i szczęśliwy, chodziłem za stadami, cień drzew był nadzieją i symbolem tego, który czekał na mnie w edenie, chłopcy i dziewczyny chodzili za mną, ukryci pośród wydm, kochaliśmy się – jak ogień, tak, jak ogień, twarze, garnitury, uśmiechy, wszystko to polać benzyną, zapalniczka, żagiew, moje oczy miotaczami płomieni, zniszczenie, strumienie fosforu, wrzaski, ludzkie pochodnie – znowu studnie, skóry, martwa rozpacz garbarni, bliskie i nieosiągalne piękno – pozbawiony głosu, język niczemu nie służy, nikt nie chce zrozumieć jego słów – mają uszy i nie słuchają, patrzą, nie widząc mnie, moja obecność jest zwodnicza, jesteś przezroczysty, wpatrują się w ducha – garbować skóry, odrywać sierść, znosić smród, pozostawiony swojemu losowi, o kilka metrów od meczetu – twój długi wyrostek wisi bezwładnie, miłość uchodzi z ciebie, czcza jak urojenie – nie ma sensu już mówić *ja ibaad Allah, ghituni* – uodpornieni, obchodzą z daleka – potężny urok łączy go z garbarnią, zmusza do codziennych powrotów do studni, przejścia przez medynę jak lunatyk – wolność placu, jego otwarte przestrzenie, wydają mi się zasłonięte i niedostępne – marzyć, marzyć o nich, utracić afoniczność, odzyskać głos, skierować się do publiczności *halqa* – przemawiać i przemawiać potoczyście całymi godzinami – wyrzygać sny, słowa, historie, aż staniesz się pusty – i znowu obudzić się, poddać się urokowi, wrócić do studni, wytaplać się w błocie – kroczyć z bezwładnym i sflaczałym wahadłem, cień mnie sa-

mego, młodość i wigor uciskane, jałowe, bezwolne,
bojaźliwe
*watch the freak, it would be perfect for the sketch, you could
show him on the stage!*
przygląda mu się dwóch brodaczy, biegną za nim, zbliżają się do ciebie, chcą mnie pozdrowić
vú parlé fransé?
nie, nie rozumiesz ich, czego ode mnie chcą? mówią
w języku giaurów, otaczają nas ludzie, nalegają, żebyś
z nimi poszedł
*venir avec nú, you understand? – nú aller vú payer – tien,
that's your flus!*
ruszasz z nimi jak w tornado, publiczne ogrody, dobrze
zarysowane ulice, autobusy, kolasy, dzwonki, hamulce,
zalew ludzi, Kutubija, skwer Foucauld, Club Méditer-
ranée, taksówki w kolorze ochry, policja drogowa, zgiełk,
wystawy, przemowy, tańce, wyczyny gimnastyczne
świeży dziarski młody
cudownie złamane zaklęcie
zabierają go, jesteś, jestem na nieregularnym wieloboku
placu

Le salon du mariage

od przystanków autobusowych, specjalnie zarezerwowanego parkingu, wyjść z najbliższej stacji metra, odwiedzający przyspieszają kroku i zbiegają się w jedną grupę do wspaniałej wystawy – komórki rodzinne, łatwo rozpoznawalne przez swoją spójność i wspólny mianownik stereotypowego uśmiechu – tata-mama-dzieci-babcia, którzy idą po prostu popatrzeć, ponownie przeżyć chwile szczęścia, zatarte wspomnienie chwały – przyszli bohaterowie także, ze swym wachlarzem nietkniętych złudzeń – zniecierpliwieni, chcą osiągnąć oazę przytulnego szczęścia, upragnioną i cudowną wyspę – ręce harmonijnie ze sobą splecione, jakby już nigdy nie miano ich rozdzielić – biegnący od czasu do czasu, ona holowana przez niego, oboje tryskający zdrowiem i optymizmem, spontanicznością, młodzieńczą sympatią – *vite, dépêche-toi, regarde la queue, peut-être qu'ils vont fermer le guichet avant qu'on y arrive!* – robić tak jak oni, przyspieszyć ruch nóg, wysilić się, aby utrzymać równowagę na kruchym obcasie obuwia – iść ulicą w dół, emanując zdecydowaniem, za tłumem przyciąganym cukierkową melodią głośników – łagodny magnetyzm promieniujący z podniosłego wydarzenia – apoteoza wielowiekowego łączenia się w pa-

ry – pomyślność, szczęście, powodzenie na każdą kieszeń
– przejść przez ulicę, kiedy zmieniają się drogowe światła
– wpaść na barierę rodziny nagrodzonej w jakimś ogól-
nokrajowym konkursie liczby urodzin – zerwać łańcuch
rąk w jego najsłabszym ogniwie – oddzielić bez skrupułów dziewczynkę przebraną za pazia od jej wiosennego
książątka – przyjąć w obliczu rodziców minę urażonej
godności – na końcu wijącego się węża, cierpliwie, aż do
kasy – nie odważają się mówić o mnie, ale wie, że na nią
patrzą – speszeni wobec niezbadanej enigmy jej tożsamości – pełni obaw, że dzieci nagle sformułują pytanie,
które wewnętrznie ich dręczy – starając się odwrócić
ich uwagę błahymi pretekstami – kontrolowane osłupienie pod blichtrem doskonałej uprzejmości – ofiary
swych sztywnych i staroświeckich pryncypiów kurtuazji
– przesadzić moją rzeczywistą niecierpliwość, szafować
minami i gestami, zwiększając powszechne zamieszanie
– spytać, na przykład, sąsiednią parę, z rozmyślnie pielęg-
nowanym akcentem meteka – *excusez-moi, quel est le prix de
l'entrée pour les jeunes filles?* – i przyjąć ich odpowiedź, *je ne
sais pas, mais je crois que c'est dix francs pour tout le monde sauf
le moins de sept ans,* z *ah, bon, alors il n'y a pas de demi tarif
pour moi?* z dziecinnym i impertynenckim sprzeciwem
– czytać w ich myślach, przewidzieć ich ukradkowe
uśmieszki, w miarę jak coraz bardziej zbliżamy się do
wejścia, dochodzimy do kasy, potwierdzasz cenę, skacze
na mechaniczne schody – wjeżdżać powoli, jak we śnie,
do ziemskiego raju – dywan z Szirazu obsypany płatkami
kwiatów, kaskady kobierców, czerwono-szafranowy aksa-
mit, eleganckie wnęki pachnące perfumami i kadzidłem

– muślinowe chmury tworzą tło wyszukanego obrazu z palmami i paprociami artystycznie uperłowionymi rosą – kopie z luster mnożą twarze panien z jedwabnymi białymi toczkami i welonami – dotrzeć na próg edenu, delikatnej i symbolicznej granicy celnej – niskie stoliki zarzucone prospektami i formularzami, hostessy nienagannie umundurowane, przyjemna atmosfera, miękka gościnność – rytualne pytania z uroczym i niezmiennym uśmiechem – *voici notre carte et documentation, c'est vous les futurs mariés? la cérémonie est prévue pour quand?* – czekać na swoją kolej, mechanicznie wygładzając sukienkę, obserwować w przyprawiającym o zawrót głowy szeregu luster niebywałą schludność fryzury – gromić wyniosłymi gestami możliwe słowa pełne drwin – stanąć przed pierwszą wolną hostessą i smakować gwałtowną brutalność wrażenia – włosy, bluzka, dwudniowy zarost – świadoma zainteresowania, jakie wzbudza jej obecność, że jestem, jak zwykle, magnesem spojrzeń – odczekać podstępnie kilka sekund, aż ona podejmie rozmowę

voici la fiche d'inscripcion, c'est pour vous?

oui, mademoiselle

voulez-vous que je vous la remplisse?

oui, s'il vous plaît

votre nom?

je vais vous l'épeler, car c'est difficile – ele-a-ef-o-double ele-a – comme la folle, mais avec un a à la fin

prénom?

je n'ai pas de prénom, chez nous ça n'existe pas, vous savez? – on a un nom, et c'est tout! – c'est beaucoup plus pratique!

patrzeć wokół, jakby zbierając spojrzenia aprobaty, i upewnić się z dumą, że ciebie słuchają

et votre fiancée?
mon fiancé, mademoiselle
oh, votre fiancé!
Ahmed, il s'appelle Ahmed, il est militaire, voici sa photo
poszukać we wnętrzu portfela, wydobyć spłowiałe zdjęcie, podać je hostessie młodzieńczym i dynamicznym gestem, sycić się w milczeniu ich przewidywalną reakcją zdumienia i niezdecydowania
il est beau, n'est-ce pas?
ona, oschle
oui, très beau – enfin, voilà la fiche – vous pouvez la compléter vous-même et nous l'envoyer par la poste sans besoin de l'affranchir
merci beaucoup, mademoiselle – et ça?
c'est le Guide des Futurs Époux
je peux en prendre un?
allez-y, il est à vous
oh, comme vous êtes charmante!
wziąć kolorową ulotkę, na okładce której znajduje się rysunek w kolorze różowym, trzewia piersiowe, puste i umięśnione, w formie stożkowej, które są podstawowym organem krążenia krwi i, wewnątrz nich, para zmierzająca do zamku ozdobionego flagą z dwoma sercami także różowymi, ale malutkimi – otworzyć „Przewodnik" na chybił trafił i sprawdzić w kalendarzu daty przeznaczone do odświeżenia pamięci przyszłych nowożeńców
Rencontre entre les deux familles pour fixer la date et mettre au point tous les détails matériels concernant le mariage et l'installation du jeune ménage

Pour une cérémonie réligieuse, aller à l'église pour s'enquérir de
toutes les pièces à produire et des démarches à faire
Établir votre „liste de mariage"
Choisir les témoins, demoiselles d'honneur et les pages, s'assuer
de leur accord, prévoir leur tenue
podążyć do pierwszego korytarza wystawy, zatrzymać się
przed śnieżnobiałym, psychodelicznym stoiskiem Pronuptia – dziesiątki manekinów unieruchomionych
w pozycjach zgrabnych i subtelnych – symfonia kolorów
złożonych z tonów malwowych, liliowych, fioletowych
na batikowym jedwabiu, prześlicznie staroświeckim i ro-
mantycznym – strusie pióra połączone z ubraniami
z muślinu różowego, w kolorze fuksji, żonkili – koronki
z Calais, welony z haftowanego tiulu, wianki, wyszukana
parasolka – wchłonąć w ekstazie objaśnienia hostessy do
baletu modelek z krwi i kości, uwiecznionych w wyższej
doskonałości swego stroju – na dzień swego ślubu, Virgi-
nie i Patrick zdecydowali się na młodość i radość – ona,
w bardzo poetyckiej, przyozdobionej kwiatami tunice,
wybrała niekonwencjonalne *décolleté* i szeroką spódnicę
z trenem – on, zwolennik ubiorów swobodnych, zdecy-
dował się na garnitur z białej tkaniny, dyskretnie prążko-
wanej – proszę zwrócić uwagę, że ta para jest wzorem
piękna, swobody i chyżości
zarejestrować pełne zachwytu komentarze sąsiadów – *oh,*
comme c'est joli, il te faudrait un complet comme ça, au fond ce
n'est pas cher, ils font du crédit, tu sais? on peut toujours le payer
à tempéraments! – poprosić lodowatą hostessę o listę cen
– od modelu Icare, *en crepé polyester*, do Etincelle, z haftowanym welonem marszczonym w koronę – pogładzić

welon z tiulu z Nuée, spytać głośnym falsetem, czy dobrze na tobie leży – w sali nie ma żadnej przymierzalni? – nie, nie ma, to jest tylko pokaz, jeśli interesuje panią ten model, podamy pani jego numer i umówimy panią w jednej z naszych filii, tej, która najbardziej będzie pani odpowiadać – nie ma pośpiechu, panienko, wrócę jutro, najpierw muszę pójść do fryzjera! szepty dezaprobaty, szeptane komentarze, przytłumione śmiechy – to ci dopiero bezwstydnik, przychodzić tu, żeby tak się nabijać z uczciwych ludzi, nie szanują nawet rodzin, w dzisiejszych czasach w ogóle nie ma wstydu! – udawać, że jest się głuchą, zamknąć się w gęstej ciszy – oglądać swoją twarz w lustrze, poprawić linię brwi, pogładzić szczecinę brody – powiedzieć z grymasem sprzeciwu na twarzy do zafascynowanej sąsiadki – *ça pousse si vite! comment faites-vous pour vous épiler le visage?* – pogrążyć się, nie czekając na jej odpowiedź, w lekturze odliczającego „Przewodnika"

Retenir la salle dans l'établissement où sera fait le lunch ou le repas du mariage

Commander le faire-part à l'imprimeur

Réserver définitivement le logement et prévoir l'équipement nécessaire – mobilier, cuisine, électroménager, literie, textiles d'amueblement, etc. Faire établir un devis aux fornisseurs. N'hésitez pas à examiner le plus grand nombre possible de propositions. Souvenez-vous – le dernier mot vous appartient!

przejść do stoiska obok, zgubić się w wirze porad, gorliwości, ofert – niech pani przemieni codzienność w cud! – w magazynie „Sto Pomysłów" znajdzie pani co miesiąc sto stron marzeń, realizacji, użytecznych porad, aby robić na drutach, haftować, szyć, gotować, puścić wodze swojej kreatywności i inwencji! – sto pomysłów, od najpraktyczniejszego do najbardziej niesamowitego i wyszukanego! – nowy prospekt – aby ubrać swój dom od piwnicy do spiżarki i przemienić go w Baśniowy Pałac – pierwszy wielki plan przekwitającej róży – nie trać swych pieniędzy na coś nietrwałego! – w tym roku nasze kwiaty mają wyższe notowania niż kiedykolwiek – w cudowny sposób imitują naturę i górują nad nią tym, iż zachowują wieczną świeżość

czytać, informować się, pieścić błogie nadzieje, podsycać kuszące iluzje, upajać się egzaltowanym memorandum „Przewodnika"

Préparer le voyage de noces et faire les réservations

Vérifier passeports et vaccinations s'il y a lieu

Choisir les alliances afin de pouvoir les faire graver

Votre armoire de linge de maison est-elle suffisamment garnie?

Avez-vous le nécessaire en linge de lit, linge de table, linge de toilette, linge de cuisine?

kontynuować niespokojne poszukiwanie zygzakiem, przyłączyć się do pokaźnej grupy ciekawskich i słuchać entuzjastycznych sugestii sybilli w uniformie na stoisku – proszę wskazać komputerowi miejsce, datę i godzinę urodzenia pańską i pańskiej partnerki, a dziesięć dni później otrzyma pan tekst specjalnie opracowany w zależności od układów gwiazd obojga, w którym będzie można przeczytać, z niewielkim marginesem błędu, współrzędne i koleje losu swej miłosnej historii – Astroflash analizuje to, co łączy i dzieli małżonków – dzięki wcześniejszej wiedzy o możliwych przeszkodach będzie pan lepiej uzbrojony, aby je pokonać i w ten sposób zapewnić sobie radosną przyszłość pełną szczęścia i pomyślności!

zbliżyć się do śnieżnobiałego, nieskalanego zwiastującego anioła i nieśmiało wyłożyć mu problem – czy dane jednej osoby nie wystarczą? – *mon fiancé ne connait pas l'année de sa naissance* – bez mrugnięcia okiem stawić czoło lodowatemu grymasowi kurtuazji – jego rodzice bez wątpienia pamiętają – grymas smutku – jest sierotą, proszę pani – nie ma odpisu od księdza proboszcza? – nie jest ochrzczony, mówię, *il est africain* – dobrze, mówi, w takim razie metryka urodzenia, *il n'a que la réclamer à la mairie* – w urzędzie też nie wiedzą, mówisz – on się urodził na pustyni, rozumie pani? – niepokój polarnej hostessy, impertynencka ciekawość publiczności – no dobrze, w takim razie, co mam pani powiedzieć? – zwrócić się do gapiów, wziąć ich na świadków – *mon Dieu, quel pari, s'unir pour toujours à un homme bleu sans savoir si nos astres sont vraiment compatibles!* – zapytać dziewczyny o zarumienionych policzkach, która obserwuje mnie osłupiała – co by pani zrobiła na moim miejscu, proszę pani? – czy poszłaby pani za narzeczonym na koniec świata, do maleńkiego garnizonu zagubionego w piaskach? – cisza, osłupienie, jakiś przytłumiony uśmieszek – ogólne napięcie w oczekiwaniu na rozmowę

zejść ze sceny, porzucić ich na rzecz spóźnionej radości z potępienia i szyderstwa, iść dumnie spowita pogardą, jakby promowano ją na wyższe stanowisko

Et pourquoi ne pas construire votre pavillon immédiatement? Parce que vous n'avez pas assez d'argent, dites-vous? N'êtes-vous pas mal informés? Des facilités que vous n'aurez

plus après, sont accordées uniquement dans les deux ans de
votre mariage
Etre chez soi pour le prix d'un loyer, c'est possible!
S'assurer du financement indispensable, faire la demande de
crédit nécessaire. Le prêt d'État de 6.000 F remboursable en 48
mensualités égales de 125 F sans intérêt, peut être sollicité dès la
publication des bans

przerwać lekturę „Przewodnika" – nowe stoisko, nowa
hostessa, nowa przemowa – wśliznąć się w półkole
gapiów, dzielić ich niemal mistyczne natchnienie, pozwolić siebie pogładzić, niczym pieszczotliwy kot, ciężkim, uspokajającym pomrukiem

królowa autentycznych kamieni szlachetnych, diament,
jest najpiękniejszym prezentem miłości i wierności, jaki
człowiek zna, odkąd świat światem – znak nieprzemijają-
cego uczucia, od starożytności przypisuje mu się magiczną siłę, która chroni i przynosi szczęście tym, którzy go
noszą – umieszczona we wspaniałym puzderku, ta szla-
chetna i prestiżowa obrączka jest sprzedawana z odpowiednim numerowanym certyfikatem potwierdzającym
autentyczność – wyprodukowana ręcznie, gwarancja na
wykonanie, nieprawdopodobna cena, absolutnie pewna
inwestycja!

utorować sobie przejście łokciami, przejrzeć różne modele, porównać ceny, dopasować najbardziej rzucający
się w oczy pierścień na serdeczny palec pod cenzorskim
spojrzeniem twoich sąsiadów, podziwiać jego lśniące
refleksy w wyciągniętej kościstej dłoni

nasze zapasy są ograniczone – rozsądek doradza zamówić go niezwłocznie – proszę nie tracić okazji – nasza
obecna cena niebawem zostanie zmieniona!

mademoiselle? – combien fait cette bague?

2.850 francs, mais vous profitez pendant toute la semaine d'un 20% de réduction

odwraca się – patrzy na mnie – natychmiast rzednie jej uśmiech

elle est bien trop large pour vous!

elle n'est pas pour moi, mademoiselle – je cherche une alliance pour mon fiancé

ah, bon

przerwa – czas konieczny na wyjście z zaskoczenia, odzyskania jej pewności siebie

connaissez-vous ses mesures?

skromność, dobrowolny wyraz przyzwoitości, nagłe, dziewicze zaróżowienie policzków

elles sont inoubliables, mademoiselle!

ale ona nie rozumie albo nie chce zrozumieć – obojętność, sztywność, lekko zmarszczone czoło – obserwuje cię, gdy ściągasz pierścionek z palca – instynktowny odruch przetarcia go ściereczką, jak gdybyś go splamiła – zwraca go przepychowi futerału

jakiś dziecięcy głos za moimi plecami – *tu as vu, papa? la dame n'a pas rasé sa barbe!* – przewidywalny policzek, z następującym po nim płaczem – *tais-toi, morveux!* – dogodna interwencja hostessy – nowa przemowa

znany artysta stworzył dla państwa tę podwójną obrączkę – wspaniały model nazwany Nierozłączni – dwa pędy złota splecione na zawsze jak dwa serca złączone na życie! – równie wspaniała nasza pokryta złotą powłoką róża o dwudziestu czterech karatach – zerwana w ogrodach Versailles, ten kwiat zachowuje wiecznie swe godne zachwytu piękno – wytworzona przez genialnego złotnika, jest najlepszym prezentem, jaki można ofiarować kochanej osobie, aby wyrazić nim uczucie tak trwałe jak sama róża! – różne rozmiary, które zapierają dech w piersiach! – powaga i kompetencja to podstawa naszej filozofii!

nie zwracając uwagi na otaczającą mnie wrogość – stawić czoło zniewadze jak dopiero co zdetronizowany monarcha – ze spokojem austro-węgierskiej arcyksiężnej przyglądającej się pożarowi własnego zamku

Préparer la liste de mariage. Ce n'est pas de mauvais usage, tout au contraire, de la répair dans plusieurs magasins spécialisés

Demander au commerce de cadeaux où la liste a été envoyée de prévenir parents et amis éloignés que vous n'avez encore pas eu l'occasion d'informer personnellement. Nous serons heureux de déposer dans votre corbeille de Mariés votre premier cadeau – une réduction „nouveaux mariés" de 50%!

popatrz, co za cwaniaczek! – ależ bezwstydny! – co on tu robi? – do tego, zdaje się, że się z nas śmieje! – co on sobie u diabła myśli? w życiu nie widziałem takiego tupetu!

zwrócić się gwałtownie w ich stronę, stawić czoło przyzwoitej z narzeczonym przebranym za dyrektora – zmusić się do porozumiewawczego uśmiechu – otworzyć torebkę – wyciągnąć paczkę papierosów

przepraszam, dasz mi ognia?

przepraszam, nie palę

masz rację, kochana – też powinnam zrobić jak ty – mówią, że tytoń jest fatalny, kiedy jesteś w ciąży – ale

strasznie jestem nerwowa – jutro przyjeżdża mój narzeczony!

nowe stoisko – aby sprawić, by zaproszeni goście wzięli
udział w waszej radości i zachowali oryginalną pamiątkę
z ceremonii, radzimy ofiarować każdemu współbiesiad-
nikowi osobisty prezent ślubny – sympatyczne pudełko
zapałek z datą i waszymi imionami wygrawerowanymi
w złocie!

jeśli nie macie pieniędzy, zainwestujcie! – u romantycz-
nego zarania waszego wspólnego życia pragniecie na
pewno posiadać piękne i przestronne własne mieszkanie,
dom z obszerną przestrzenią, aby zachować intymność
waszej rodziny – jednakże chwilowo nie możecie do tego
aspirować – wasze oszczędności, niestety, na to nie po-
zwalają – ofiarowujemy wam rozwiązanie – natychmiast
zainwestujcie w naszą agencję – przy naszej pomocy
zyskacie później kapitał niezbędny do nabycia wymarzo-
nego mieszkania!

proszę pani – szybko połączy pani swoje życie z życiem kochanego mężczyzny – dla niego, dla pani, będzie
pani najpiękniejsza! – proszę przekształcić swój ślub
w poemat, proszę ozdobić bielą swoje szczęście! – proszę
podziwiać i przeczytać uważnie strony naszego katalogu
– suknię, pani ślubną suknię, jaką wyobraża sobie pani
nocami, o której marzy pani od dzieciństwa, nasi styliści
przygotowali specjalnie dla pani!

obserwować kątem oka tych, którzy ci się przyglądają
– prowincjonalne grupki, liczną rodzinę z bulwaru,
japońskich turystów, każdy ze swym nieodłącznym aparatem fotograficznym – dalej węszyć po terenie – męscy

modele, z doskonałymi biodrami i kolanami, nienaganny smoking, szczery uśmiech, spojrzenie opiekuńcze i męskie – koktajle, bankiety, kolacje, materiał na przyjęcia, kucharze, mistrzowie ceremonii, kelnerzy, hostessy, nastrój, animacja, spektakle, efekty dźwiękowe – dwadzieścia pięć lat doświadczeń, filie w całej prowincji! – przeglądać prospekty, podliczać koszty, wypowiadać opinie, szukać inspiracji w „Przewodniku"

Choisir le menu et demander confirmation des prix au traiteur
Chercher un photographe, assurer le reportage de la cérémonie au magnétoscope, organiser votre réception et votre voyage de noces
Prendre rendez-vous chez le notaire pour le consulter sur le Régime Matrimoniale

dojść do końca galerii, skręcić w prawo, wejść w nowy korytarz – poprawić makijaż, zerkając w lusterko – zapytać hostessę o damską toaletę – z radością dostrzec jej grymas niesmaku

do końca i w prawo!

dziękuję pani – nie wie pani, czy mają tam podpaski?

osłupienie, hamowana wściekłość, gwałtownie odwraca się do mnie plecami – przyjąć z pogodnym wyrazem twarzy skonsternowane spojrzenia sąsiadów – nucić piosenkę Dalidy – biorąc wysokie tony *ex professo*

chodźmy, Martine, to niedopuszczalne!

nie jesteśmy w Carroussel, słyszy mnie pan?

nie, nie słyszy pana, udajesz, że nie rozumiesz, obdarowujesz go uśmiechem – dziewczyny ubrane w modele z „Elle" i „Marie Claire" – roześmiane pary, pary uprzejme, pary znudzone, pary eleganckie, pary pary pociąg zaraz odjedzie – pożegnanie jest wesołe – czy to przypadkiem nowożeńcy nie rzucają się ku szczęściu? – dama ma na sobie koronkową sukienkę w kwiaty – dziewczyna wygląda ślicznie w swoim stroju z bawełnianej tkaniny z paskiem z czerwonej satyny – chłopaczek jest prawdziwym cukiereczkiem w spodenkach z zielonego aksamitu i w białej bawełnianej bluzie – matka panny młodej wybrała zwiewną tkaninę z muślinu z lekkim szalem – wszyscy mieli znakomity pomysł, aby ubrać się w przedstawicielstwach naszej firmy!

nowe stoisko – Biblioteka Przyszłej Pary

    Pięć tysięcy receptur

    Doskonały dom

    Mężczyzna i kobieta

    Harmonia seksualna

    Praktyczny przewodnik prawny

aby pobudzić do śmiechu zaproszonych gości i zapewnić dobrą zabawę na przyjęciu – komiczne monologi, pikantne piosenki, repertuar figlarnych anegdot, karciane gry pełne aluzji do nocy poślubnej – nasz nadzwyczajny katalog żartów i podstępów – proszek na kichanie, giętkie noże, kostki cukru-niespodzianki – po rozpuszczeniu w kawie odkryjecie na dnie filiżanki muchę, ząb, karalucha, i tym podobne!

stołowe bomby zamaskowane papierową serwetką – po zapaleniu lontu następuje niesamowita detonacja i wasi goście otrzymają fantastyczny deszcz prezentów! – niezastąpione przy tworzeniu nastroju!

szklanki o normalnym wyglądzie, ale z których nie można się napić – zdumienie sfrustrowanego pijaka, zdrowa radość obecnych!

proszę wylać na koszulę sąsiada strumień atramentu, który nie plami – przestrach będzie maksymalny!

ryk krowy ukryty w waszej kieszeni – ten przedłużony krzyk, doskonale imitowany, zachwyci twoich przyjaciół!

kwiat strzykający wodą – proszę zaprosić bliskich znajomych, by go powąchali, i nacisnąć gruszeczkę – murowany sukces!

gwizdek zawiadowcy stacji towarzyszący odjazdowi narzeczonych – oryginalny sposób, by rozpocząć miodowy miesiąc i życzyć im przygód wszelkiego rodzaju!

zgromadzenie ciekawskich – ale nie patrzą na stoisko – przyglądają mi się – rumiana dziewczyna z policzkami jak jabłka – narzeczony ubrany jak fircyk – pary pospolite, pary bezbarwne – popędliwe rodziny antymaltuzjańskie

wyciągnąć papierosa z torebki, włożyć go do bursztynowej lufki, poprosić o ogień mężczyznę w dojrzałym wieku, podziękować mu przelotnie, wypuścić dym z umiarkowaną rozkoszą

podejść do kontuaru agencji handlu nieruchomościami, specjalizującej się w domkach jednorodzinnych – wille, domki, szeregowce – najważniejszy nabytek w waszym życiu! – przejrzeć katalog cen, makiety różnych modeli, gwarancje i ułatwienia – zapytać uprzejmie ekspedienta, czy mają *chajma*

on – opryskliwy

qu'est-ce que c'est?

une sorte de tente, mais beaucoup plus large

pour faire du camping?

non, pour y vivre dedans, mówię – *comme celles des cheikhs dans le désert – vous avez vu le film de Valentino?*
nie, nie widział go
c'est dommage! le décor est charmant!
on – agresywny
vous êtes venu ici pour me parler de cinéma?
w żadnym razie, mówisz – *je cherche une orientation*
on – ordynarny
allez-vous faire orienter ailleurs! – on n'a rien à foutre avec des gens de votre acabit!
co robić? – wybaczyć mu? – przyjąć postawę gwiazdy? – wyciągnąć wizytówkę i poinformować go o wysłaniu sekundantów? – wymierzyć mu głośny policzek? – ciekawscy zbierają się z wyraźną radością – w grę wchodzi wiarygodność mojej osoby – nie masz innego wyjścia, jak ją zachować!
je dirai à mon fiancé combien vous êtes insolent! – vous aurez bientôt de ses nouvelles!
głosy, szemranie, krzyki – odwrócić się z ponurą miną, majestatycznie oddalić się korytarzem – kuchnie, jadalnie, gabinety – małżeńskie łoża, materace, amerykanki, niezliczona liczba podwójnych łóżek – dzięki swej oryginalnej budowie materac Multiespiras gwarantuje spokój waszego snu i odzyskanie równowagi nerwowej i fizycznej – doskonałe zawieszenie – modele klimatyzowane – przyczyni się do szczęścia waszego małżeństwa! – jeszcze dzisiaj proszę skonsultować się z naszymi specjalistami!
przyjmować, poradzić, poprowadzić pary to nie tylko nasze hasło – stanowi to też powód do naszej uzasadnionej dumy!

czy chodzi o przyjęcie stricte rodzinne, czy też o bankiet na setki, a nawet tysiące gości, proszę nie uciekać się do niefortunnej improwizacji, której będziecie żałować do końca życia – proszę powierzyć organizację naszym specjalistom! – państwa sukces zależy całkowicie od was – proszę chwycić za telefon!

serwis stołowy, kryształ, porcelana, obrusy adamaszkowe dodadzą jeszcze większego blasku bogactwu i różnorodności dań – ozdoby z kwiatów, wielokolorowe rzeźby z potraw i owoców pomogą stworzyć wykwintną atmosferę, której pragną pani i jej narzeczony – przyjęcie komponuje się jak symfonię – zaproszenie jak klasyczne retabulum – muzyka, światło, dekoracja melodyjnie połączą pani zachwyt z naszymi potrawami i winem – sztuka usłużności jest naszym rzemiosłem – proszę się z nami skontaktować!

jej obecność przyciąga co krok ciekawość gapiów – ej, ty, widziałeś? – aj, co za kołysanie! – nie śmiej się, dla mnie to w ogóle nie jest śmieszne! – gdyby to ode mnie zależało, wszystkich ich bym rozstrzelał! – dobra, chodź, najlepiej nie zwracać na nich uwagi!

udawać zamyślenie, obojętność aż do stoiska z aniołkami, serduszkami, gołąbkami, spowitymi intymnym, przychylnym półmrokiem

Songe qu'avant d'unir nos
têtes vagabondes, nous avons
vécu seuls, sépares, égarés
et que c'est long, le temps
et que c'est grand, le monde
et que nous aurions pu ne pas
nous rencontrer

wdzięk, czułość, głębia poetyckiego uczucia ją ponoszą
– czujesz potrzebę wyrażenia twoich emocji, podzielenia
się nimi z twoimi sąsiadami, jak się rozdziela pomiędzy
różnych ludzi rzadką i wykwintną potrawę

*c'est vrai ça! – mon fiancé vit loin, très loin, en Afrique! – si je
n'avais pas fait une tournée artistique dans les casernes des
méharistes nous ne nous serions jamais connus! – vous vous
rendez compte de la chance merveilleuse qu'on a eue?*

stężały i nieprzenikniony wyraz twarzy kobiety – kpiący
gest jej męża – przez chwilę zdaje się gotowy odpowiedzieć ci, ale ona energicznie ciągnie go za ramię i oboje
oddalają się z urażoną miną

zasługuje pani na szczęście – proszę więcej nie marzyć
o założeniu rodziny! – proszę się zdecydować!

proszę wreszcie przerwać piekielny krąg osamotnienia –
szczęście znajduje się na wyciągnięcie ręki – ślub przy pomocy naszej agencji nie oznacza rezygnacji, dla mężczyzny, z ducha zdobywcy, ani dla kobiety z pragnienia bycia
atrakcyjną!

nasz wiek należy do specjalistów – jeśli dla znalezienia
rozwiązania jakiegoś trudnego problemu korzystamy
z usług adwokata albo jeśli dla podbudowania naszego
wątłego zdrowia udajemy się do lekarza, po co liczyć tylko na własne siły, gdy chodzi o najpoważniejszą i najbardziej transcendentną decyzję naszego życia? – dlaczego
zdawać się jedynie na łut szczęścia, kiedy dysponuje się tylko wąskim kręgiem znajomości, w którym trudno osiągnąć
satysfakcję dla naszych najskrytszych pragnień?

po pani wizycie, ustalamy w zależności od wyników pani
interwju i odpowiedzi zawartych w kwestionariuszu, po-

ufne dossier, w którym wszystko, co tylko może pomóc poznać pani osobowość, pani ego, zostanie skrupulatnie zanotowane – po przeanalizowaniu pani przypadku punkt po punkcie, z nadzwyczajną dokładnością, wyselekcjonujemy, spośród kandydatów, których pragnienia w sposób ogólny będą zbieżne z pani pragnieniami, taką osobę, która wykaże, w planie fizycznym i moralnym, najsubtelniejsze zbieżności – wiedza z góry o fakcie, że takie zbieżności istnieją, podsyci pani pragnienie lepszego poznania wybranej osoby, do rozwinięcia przy niej wszystkich swych osobistych uwodzicielskich środków – spotkanie w takich warunkach zmienia się w podniecającą przygodę w najbardziej szlachetnym znaczeniu tego słowa!

nikt tak dobrze jak my nie łączy członków w pary, nie harmonizuje ich osobowości, nie spełnia roli dobrej wróżki, która powoduje spotkanie dwóch istot od zawsze przeznaczonych do tego, by się spotkały, by się kochały!

madame, vous avez une minute? – je voudrais vous poser une question

ona – nieufna

allez-y, je vous écoute

j'ai déjà choisi mon fiancé – je l'aime et il m'aime aussi – mais nous ne connaissons pas encore nos gouts, nos affinités – je ne comprends même pas un mot de son dialecte! – alors je voudrais savoir s'il pourrait se mettre éventuellement en contact avec vous

ona – oschła

jesteśmy do pani dyspozycji

problem polega na tym, mówię, że on nie może przyjechać do Paryża – jest kapralem w regimencie strzelców krajowych, wie pani? – przypadkiem nie macie przedstawicielstwa w Ar-Risani, w Tafilalt?

mówi pani, że gdzie?

Ar-Risani, w Tafilalt – pięknej oazie na południe od Atlasu, dokładnie tam, gdzie zaczyna się pustynia

ona – wyraźnie drażliwa

w życiu nie słyszałam o takim regionie!

ty – ze zdumioną miną

przecież jest na mapie! – jest tam nawet budka telefoniczna!

ona – stanowcza

przykro mi, zupełnie nic nie możemy dla pani zrobić

no to klapa – odwrócić się na pięcie, pozdrowić niewyraźnym gestem idących za tobą ludzi, przyjąć zachowanie kardynała Kurii w ostatnich dniach życia, toczonego długą i nieuleczalną chorobą – uśmiechnąć się blado, rozdać całusy, jakby rzucała cukierki, rosić święconą wodą niewidocznym kropidłem – oddalić się od wiernych pomiędzy komodami w stylu Ludwika XV, stolikami Ludwika XVI, jadalni w stylu Imperium, elżbietańskich mebli – kaszetka, arystokratyczne sny, zwiędła szlachta – konferencje na temat *planning familiar* – proszę zapewnić swoje rodzinne szczęście dzięki nabyciu, za gotówkę lub na raty, wystawnego zestawu kuchennego – nasz cel – raz na zawsze skończyć z waszą samotnością! – statystyka najbardziej cenionych prezentów przez nowożeńców – odkurzacz (95%), pralka (83%), kolorowy telewizor (70%), zmywarka do naczyń (58%) – żeby przeczytać we dwoje to, co każdy czuje – nasz wybór Stu Najlepszych Wierszy – intymna fizjologia kobiety – proszę dowiedzieć się wszystkiego na temat kobiecego ciała! – proszę powierzyć nam organizację waszego miesiąca miodowego – przygotujemy twój prywatny plan podróży w zależności od twych głębokich motywacji – prawdziwa historia miłosna pomiędzy wami i słońcem! – Drzwi do Raju, Zapomniane Wyspy, woń tropików, Kraj Pierzastego Węża!

znowu w hallu

symboliczna granica celna, przewodnicy, hostessy, uśmiechy, grupy, pary, mechaniczne schody, wyjść z pięknego snu, w dół, w dół, stawić czoło zdumieniu tych, którzy suną w górę, w przeciwnym kierunku, znowu kolejka, kasa, odrzucić rzeczywistość, uniknąć publiczności, ścisk, ruch uliczny, przeżyć niezapomnianą scenę z filmu, Morocco, drzwi w murze, magnat czekający przy rollsie i patrzący na ciebie smutno, ale dążyć do wojskowego kochanka, porzucić bogactwo i status społeczny, zaprząc się w jarzmo dziwek i prostytutek *áscaris* i żołnierzy *Tercio*, wyrzucić bezużyteczne buty na obcasie, deptać bosymi stopami delikatne fale wydm, iść, iść, zgubić się na pustyni

Zimowe mieszkanie

kreteński labirynt? – budowla stworzona przez Dedala? – możliwa rezydencja jakiegoś zmartwychwstałego bajecznego Minotaura? – w każdym razie rozkład przemyślany – następujące po sobie galerie, korytarze, podwórce, salony audiencyjne, rzędy portyków wyrzeźbionych w marmurze – Le Vau, Mansart, Le Nôtre wdzięcznie wystawione na spektakl Światło i Dźwięk? – albo jakaś nowoczesna wersja, surogat wytwornych rezydencji wielkogatsbijskich typu The Breakers albo Rosecliff? – jej mroczny charakter, zakopany, utrudniłby natychmiastową ocenę archeologa, który śmiało ruszyłby ją przebadać – pogrzebane miasto po gwałtownym wybuchu wulkanu? – mieszkańcy zaskoczeni w swych domach przez potop rozżarzonych kamieni? – ostrożnie wśliznąć się przez przejście – zwykły wyłom albo pułapkę, przypuszczalnie strzeżoną przez posępnego, przerażającego cerbera – być może oddalonego od tego miejsca z racji ważniejszych obowiązków – powtórzyć z drobiazgową dbałością rutynowe ruchy – przycupnąć, odsunąć przemyślne maskowanie ukrywające przejście, wymacać metalowe stopnie, zanurzyć się, aż do poziomu ziemi, upewnić się przezornie, że nikt nie patrzy, zrzucić łupy tuż przy drabince, dopasować ciężką płytę do okrągłej pustki w cemencie – już bezpiecznie – suweren królestwa nieskończonej nocy – wtopiony w nią w łagodnym Piekle – odczepić się od studzienki na progu Porta Marina, wejść na podest przewidziany dla pieszych, zlekceważyć usłużność przewodników, zabezpieczyć się przed ich agresywną, zaśniedziałą wiedzą, przejść Via dell'Abbondanza sam przemieniony we własnego, osobistego przewodnika – ciemne stopy, bose, nieczułe na srogość pory roku – obdarte, wyświechtane spodnie z zaimprowizowanymi wywietrznikami na poziomie kolan? – płaszcz stracha na wróble z kołnierzem podniesionym, aby chronić podwójne wyobcowanie? – roztropne postanowienie rady miejskiej utrzymania miasta w ciemnościach litościwie chroni go przed ostrzami spojrzeń – system przewodów grzewczych chroni go przed surowością żywiołów – iść jak ślepiec, bez pomocy psa, łazika, laski – zadowolony, że na kilka godzin zapomni o zmierzchowej cywilizacji świateł – okryty, ochroniony, nie do zranienia, w przychylnej czerni płodu – iść po Polach Elizejskich, prowadzących do moich apartamentów, nie obawiając się ordynarnego i agresywnego – pan wielkiej drogi, osłanianej szlacheckimi rezydencjami – uważny na gwar szklanego strumienia spokojnie płynącego jezdnią – świątynie, wille, pałace bez swych mieszkańców – ściany ozdobione mozaikami, freskami o czarno-czerwonym tle, sceny erotyczne wymalowane na stiuku, ogromne fryzy o mitologicznych tematach – przejść przez przecznice forum i bazyliki, Terme Stabiane, Dom Menandra – pogładzić zrogowaciałymi rękoma tabliczki, na których prawdopodobnie znajdują się obwieszczenia albo inskrypcje powitalne – *Vale*, *Salve*, może *Cave canem* zazdrosnego właściciela – iść, iść naprzód, starając się nie wejść przez roztargnienie na cudze terytorium – do westybulu lub atrium jakiegoś bardzo zamożnego i wielkodusznego patrycjusza, nocnego marka – zwykle widzianego dzięki *fasces* liktorów – światło drżące, choć wystarczające do odkrycia w środowisku wielkiego domu, rytualnej ceremonii bankietu – rodzinnej uczty, zwykłej wiejskiej przekąski gadatliwych kumów i przyjaciół – zaproszeni półleżąc, z aromatycznym eliksirem w ręku – butelki dyskretnie zawinięte w papierowe torebki ze sklepu, złocista fermentacja jęczmienia i chmielu wybornie zapakowana – tymczasem, tuszując niewyjaśnialną nieobecność służby, bogaty gospodarz prezentuje swą zręczność mistrza gastronomii, sumiennie czuwając nad doskonałą kompozycją dań – śmieszna to scena, często towarzysząca jego krokom wzdłuż malowniczej i miłej trasy, rozkosznie rozgrzanej – pośród harmonijnych, dekoracyjnych bocznych kaskad i sklepień, z których zwisają piękne stalaktyty – posuwać się po omacku w przyjemnej mgle, unikając wpadania, jak innymi razy, na jakiegoś pogrążonego we śnie ziemianina – wyrwany przypadkowym potknięciem z miłej drzemki jego libacji – puste naczynia wokół *lectum*, bez wątpienia zapomniane przez niedbalstwo służby – mamrotać niepotrzebne przeprosiny i słuchać, kiedy się oddalasz, możliwych do zrozumienia warknięć urazy – burzliwych dezyderatów jednoczesnej rozkoszy lub potępienia formułowanych ostrym głosem – pierdolę cię podły skurwysynu, pedale!

czy coś w tym guście, z wyszukanym łacińskim akcentem rodem z Lacjum – brnąć naprzód z nieustraszoną miną, szczęśliwy z powodu swobodnego rozróżniania szmerów i oznak życia wezuwiuszowego miasta – nieskończone kapanie ścieków, nagłe pęknięcie przewodów, wydzielanie się pary z gorących rur grzewczych – idealna temperatura, wieczne lato, sprzyjająca szybkiemu rozprzestrzenianiu się inteligentnych i zwinnych gatunków domowych – zamiast kotowatych albo psowatych, których utrzymanie i dbałość o nie wymaga godnej pożałowania straty cennego czasu i, co gorsza, energii, gryzoni cudownie zaadaptowanych do warunków klimatycznych tego miejsca – egzemplarze o eleganckiej sierści, żwawym ryjku, żywym spojrzeniu, które włóczą się ze zgrabną zwinnością chartów skrupulatnie wymalowanych na dawnych fryzach – codzienna eskorta w mojej podróży do pałacu zimowego, pogrzebanego pod stolicą – czatują na smakowite dania, które zwykle im dajesz, gdy znajdziesz się w ścisłej intymności swego miejsca zamieszkania – rozpoznać, z wdzięcznym uczuciem ulgi, proste, bliskie przedmioty z twoich apartamentów – skumulowane owoce przeszłych napadów w asfaltowej dżungli na wyższym poziomie – klamoty użyteczne, rupiecie bez żadnej wartości odżywczej dla twoich ruchliwych stronników – znaleźć się między nimi, ukołysany dyskretnym szumem strumienia, wypływającego łagodnie przez pęknięcie w rurze – otworzyć szczodrym gestem sakwę skarbów i ofiarować nowalijki mojemu osobistemu gryzoniowi – żarłocznemu, wszystkożernemu amatorowi ludzkich chrząstek – obdarzonemu śliniankami o wielkich możliwościach znieczulających, stosownych do dokonywania jego czynów niepostrzeżenie dla najbardziej zainteresowanego – jedynie słabe swędzenie po przebudzeniu się ze snu – instynktowny odruch – uniesienie rąk do małżowin usznych i odkrycie ze zdumieniem ich podwójnej nieobecności – gest powtarzany nieskończoną liczbę razy, z dumą niemal lucyferską, w obliczu anonimowego, dzikiego tłumu na chodnikach – zakała, parszywa owca, wprawiający w zakłopotanie pasożyt – rozstrojony instrument grający z nut – metafora zagubiona pośród znaków algebraicznych równania – wymazane piekło, ich świat – zapomnieć miasto, ulice, tłum – nie widzieć ich, nie zważać na ich obecność, świadomie okazywać im lodowatą przezroczystość, niewidzialność – miarowo pieścić twoje ruchome dobra – przebogatą kolekcję szynszyli o lśniącym rudawym futrze – przejść do równego podziału dóbr i delektować się obserwowaniem powolnej pracy siekaczy – ułożyć się w ciepłej wygodzie posłania, otoczony ich względami i galanterią – pozwolić im swobodnie biegać po swoim ciele, wedle uznania obwąchiwać członki – stopy, głowę, ręce, naturalne wybrzuszenie organu, będącego mimowolnym powodem paniki, zazdrości, zdumienia – uwolnić go z więzienia tkaniny, aby wyskoczył w całej okazałości, wyniosły i mężny – as żołądź ciemny i pulsujący, przedmiot uwielbienia i usłużności twych wiernych, gorliwych protegowanych – ukradkowe ocieranie się łapek, delikatny hołd ryjków, które stopniowo stymulują oszałamiającą transformację – masywna kolumna, wytoczona, idealne miejsce do składania hołdów lennych i ofiar – pragnienie *zumala*, przerażenie panienek, z powodu swych niebywałych rozmiarów skazany na samotność i anonimowość w katakumbach – miejsce kultu i pielgrzymek twoich wytrwałych towarzyszy – sarabanda żarłocznych niedźwiadków dokoła miodopłynnego ula – łechtanie, pochlebstwa, pieszczoty z gorliwą zawziętością malutkich i szorstkich języczków – wyszukana, typowo pompejańska specjalność – delikatność łasucha, pochlebcza, wyszukana, w antypodach sprzedajnej zręczności źrenic uwiecznionych na freskach z lupanarów – potęgować mrowienie z powodu ich śliny poprzez delikatne zaciąganie się cannabisem – dojmująca woń gór po drugiej stronie Mare Nostrum, w twojej dalekiej i wytęsknionej Numidii – wciągnąć w uniesieniu aromatyczny haust, w jednej chwili zapomnieć nędzę i strapienia dnia – przedmiot nabożnej celebracji gryzoni zebranych wokół twojej dotykalnej charyzmy – ukołysany szemraniem kanalizacji, ogrzany wyciekami z niewidzialnego systemu rur, smakując moją małą i niemożliwą do odebrania część szczęścia – uwolniony od przerażenia, samotności, pustki, kłującego poczucia śmierci, które nachodzi go na górze – tak jak ogień, tak, tak jak ogień, twarze, ubrania, uśmiechy, polać to wszystko benzyną, zapalniczka, zapałki, cokolwiek, moje oczy miotaczem płomieni, zniszczenie, strumienie fosforu, krzyki, ludzkie pochodnie – radosne obrazy zadośćuczynienia, słodkie marzenia o zemście, ożywione zapachem cannabisu i synkopowym tupotaniem twoich wyznawców z ich zwinnym ogonkiem językowym – wibracja nabłonka, przypływ krwi, twardy obrzęk – gwałtowne przyspieszenie tego pulsu zwiastuje nieuchronną erupcję wulkaniczną i pomnaża żarliwość skrupulatnych lingwistów - miast potoku ognistej, śmiertelnej lawy, ciepława, gęsta, tłusta substancja, podobna do tej, jaką wytwarzają pszczoły z kwiatów, a potem składują ją w komórkach plastra - zmieciona przez niecierpliwe, służalcze gryzonie z charakterystyczną biegłością i zwinnością - pohamować dziedziczny gest złapania go przez fałdy patrycjuszowskiej szaty i natarcia jeszcze wyprężonego, ale już więdnącego organu napędowego pyłem albo piaskiem wedle prawideł higieny świętej Księgi - Królewicz Smoluch i siedem kurwiątek tak jak na polichromowanych reprodukcjach z taśmy wyświetlanej w ogromnej sali na bulwarze - usiąść na łożu rozkoszy, wielkodusznie rozdać napitki i wiktuały, zebrać wodę w pobliskim *impluvium* i zagotować ją w puszce po zupie Campbella na rozpalonych rurach *calidarium* - lekka kolacja, lecz znakomita dla podbudowania nadwątlonych sił po męczącej ucieczce przez wraży teren - skrupulatnie powtarzana ceremonia rozdzielania resztek z uczty pośród malutkiej, łagodnej trzody, wyciągnąć się na miękkim *triclinium*, owinąć stopy i dłonie rozlicznymi warstwami listowia papirusu, aby uniknąć nocnej uczty twych udomowionych gryzoni - przypalić ostatni zwitek liści konopi, lewitować w przyjaznej mgle w rozmazanym stanie szczęścia - błąkanie się, gościnność, nomadyzm, szerokie przestrzenie, inne głosy, jego język, mój dialekt, jak kiedyś, pośród nich, żywy, jestem, poruszam się, w końcu wolny, droga na rynek

Androlatra

niemożliwe zapomnieć, zapomnieć ciebie
szukam go, szukałaś go w półmroku kin, stacji metra,
osiedlowych barów, coraz bardziej szalona, nigdy nie re-
zygnując z poszukiwań, byłam pewna, że na ciebie natra-
fię, wspominałam szczęście naszego spotkania, twoją
ogorzałą twarz awanturnika, nocną wspaniałość twego
organu, aż wpadła, wpadłaś na wiadomość o *tournée*, twoja uroczysta prezentacja w cyrkach, zachwyt szacownej,
gromadziłam bogactwa, gromadziłam jak mrówka, żeby
tu przyjechać, mniszka z klauzury, poświęcona wyłącznie twojemu kultowi, plecami do świata, medytacja,
czystość, marność nad marnościami

zajęcia, aby zabić czas, depilacja, makijaż, astrologia, lektura „Rêves", „Intimité", „Détective", „Ici Paris", „France
Dimanche" – z oddaniem kultywując androlatrię –
współczuć, sympatyzować, identyfikować się z jej
ofiarami Soraya, Margaret, Jacqueline, zaczarowana jasnowłosa księżniczka – brać do siebie porady Madame
Soleil, wycinać modele z „Elle", odpowiedzieć staranną
kaligrafią na bezpłatne ogłoszenia w „Libération"

na przykład – samotny wilk, wrzucony do mrocznej komórki przez nasze ohydne represyjne społeczeństwo, szuka bratniej duszy na trwałą przyjaźń i ewentualne małżeństwo – albo – na dnie czarnej dziury, któż zostanie słodką przyjaciółką, która udzieli mi łaski oczekiwania na mnie z kilkoma słowami uczucia i matczynej światłości? – albo – ty, moja mityczna czytelniczko, wyciągnij do mnie swą szczodrą dłoń, jak ja ci ofiarowuję swoją, wszak skoro nienawidzisz smutku, wierzysz w braterstwo, pragniesz szczerego i wiernego partnera, ja będę wiedział, jak unicestwić przyczyny twej ponurej melancholii! – albo – płonące słońce ludzkiego ciepła, jeden gest, jedno twoje spojrzenie poprzez kraty otaczające moją spowitą we mgle i dżdżu duszę, położą kres mojej obecnej ślepocie i przydadzą sił oraz odwagi, aby stawić czoło tej bolesnej egzystencji – albo – jeśli się czujesz, jak ja, samotna i zagubiona, a mimo to pragniesz szczęścia, chwyć za pióro, nie wahaj się ni chwili, twoja odpowiedź oszczędzi nam obojgu strapień w tym piekle egoistycznego i złowrogiego świata – albo – dryfując po oceanie życia, mimowolny rozbitek na bezludnej wyspie, list, zwykły list, kobiecy, subtelny, delikatny, wielkoduszny wystarczyłby, aby mi dowieść, że ocalenie jest możliwe, wskazując mi latarnię dobroci i nadziei

zawsze tak zaczynają – wsparcie, podpora, towarzystwo, realizacja, kreatywność, lekka i braterska dusza – szlachetne uczucia, czystość intencji, altruistyczna dyspozycyjność – sielskie zamiłowania, domowe, proste – lektura, muzyka, fotografia, podróże, oddychanie świeżym powietrzem z dala od miasta – jeśli kochasz skąpane w słońcu plaże, smak soli na ustach, pieszczotę wiatru w twoich włosach, oto masz mnie tutaj – ja jestem mężczyzną twoich marzeń! – wszystko po to, żeby cię uśpić i przekonać, że nie myślą o tym, o czym nigdy nie przestają myśleć – jednak nie jesteśmy już dziećmi, nie, ma się to doświadczenie, jest się nauczonym przez lata, więc kiedy czytam i znajduję głębokie podobieństwa na polu artystycznym albo dzielonych zainteresowań w dziedzinie ezoteryki, to doskonale wiem, co się za tym kryje, dopisek, aluzja, postscriptum, po troszeczku, jeśli zyskują twoje zaufanie, pomiędzy ozdobnikami wysublimowanych relacji znad brzegu lazurowego morza, z ośnieżonych szczytów, bezkresnej i niezbadanej pustyni, miejsc odpowiednich do odkrycia tego ogromnego nieznajomego potencjału, z którym codziennie współżyjesz i tylko ja będę potrafił rozbudzić, moja kochana, twoje własne ciało

i kiedy w końcu tam docieramy, do chwili prawdy, do godziny X, te łotry radośnie się zapominają – ich aspiracje i pragnienia nie są tak górnolotne, jak głosili – przy wielkiej dbałości o styl, posiłkując się zwyczajowym repertuarem eufemistycznych formułek, przywołują uzdolnienia i talenty, biegłość, fachowość, mistrzostwo – ich marzenie o kobiecie bez zahamowań ani kompleksów, zdolnej do uzewnętrznienia swych fizycznych i uczuciowych pragnień w towarzystwie oddanego kochanka, usłużnego, wyzwolonego, ani fallokraty, ani tradycyjnego, ani *macho*, ani słodko zmysłowego, wyrozumiałego, otwartego, o doświadczonych dłoniach, języku z aksamitu i jedwabiu, którego zadziorność, stopniowo dochodząca do szaleństwa, koncentruje się, będzie się koncentrować, to jego specjalność, jego hobby, jego mania, wokół tego perłowego, boskiego guziczka, który jest dzwonkiem, budzikiem wulkanicznej zmysłowości kobiecej

kilka wycinków z jej kolekcji w uporządkowanym *crescendo* bezwstydu

jeśli jesteś gorąca, wrażliwa i ciekawa, fizycznie atrakcyjna, czyż nie potrzebujesz mężczyzny swoich marzeń, z którym mogłabyś zrealizować swoje fantazje, bez żadnego rodzaju tabu?

ty, laleczka w jakimkolwiek wieku, czy to jesteś wysoka czy niska blondynka ruda brunetka, jeśli lubisz się pieprzyć bez wytchnienia, skontaktuj się ze mną, wynagrodzę ci to!

gość szuka temperamentnej laski, aby wystrzelić dziką rakietę i wybuchnąć z nią w niebie

facet wysoki, silny, męski, o wyjątkowych przymiotach udziela lekcji jazdy konnej jebliwej lasce, o szerokim zadzie, pragnącej jeździć i być dosiadana,

właściciel wielkiego karabinu o dużym kalibrze odda go w ręce tej, która chce go polerować i nasmarować, zanim zmierzy nim temperaturę od przodu i od tyłu

ależ tak
ależ to prawda
ależ znam ich, jakbym ich urodziła!

wiele lat temu, w swoim okresie walki, kiedy zdawało jej
się, że zwalcza wyobcowanie z całkowicie wyalienowa-
nych pozycji
(ty jeszcze nie pojawiłeś się w moim życiu)
pisała listy, pisałaś listy, powodowana być może pragnieniami tak niewyrażonymi jak i niewyrażalnymi
(ustatkowanie się, pragnienie szacunku, możliwego złą-
czenia się z kawalerem poważnym i statecznym)
który okazał się
(tak, ale nie mogę powstrzymać się od śmiechu!)
kompletnym łajdakiem
(to był twój romantyczny okres
czysty, platoniczny, duchowy)

dobrze, jednak ci to opowiem
poznali się, poznaliście się dzięki usługom pewnej
agencji matrymonialnej, a on natychmiast, listownie, bo
mieszkał bardzo daleko, ach, któż mógłby posłuchać
z tobą, w świetle kominka, w naszym domku, kwartetów
Mozarta, sonat Brahmsa, ty, moja piękna nieznajoma,
postać ze snów, spokojna przystań, światło mego domu,
no cóż, wszystko możliwie najbardziej liryczne i popraw-
ne, prawdziwy dżentelmen, dni, tygodnie, miesiące bez
żadnego ślinienia się, tylko słodycz i miody, trzeba było
widzieć, jak świetnie się wysławiał, niebiański anioł, miłość mojej duszy, skarbnica dobroci, a ona, ty, o ja nie-
winna, jak idiotka, ogłupiona jego słowami, nie zdając
sobie sprawy, że podstępnie i mimochodem, jakby
w ogóle nie interesowały go te sprawy, zaczynał się za-
kradać, rozkładać swój pióropusz, poczynał sobie coraz

bardziej swobodnie, już ją sobie wyobrażał nagą, wtuloną w jego ramiona jak mała dziewczynka, jeszcze przy dźwiękach Brahmsa i Mozarta, ale tym razem oboje na golasa, i on sterczący, wyprostowany, to mój naturalny stan, nie wiem, czy ci już mówiłem, mam ognisty temperament i kiedy myślę o kobiecie takiej jak ty, krew spływa sama wiesz gdzie, członek mi się podnosi, coś nietypowego, wielki instrument, wyślę ci zdjęcie, żebyś go zobaczyła i sama oceniła, fotkę wykonała moja bliska przyjaciółka, jutro przyślę ci następne, całego ciała, w masce, jestem tym pośrodku grupy, zawsze można mnie rozpoznać po długości broni, co sądzisz o pozycjach osiem, szesnaście, trzydzieści dwa? mam nadzieję, że oglądając je, poczujesz ciepło, wilgotność, że wsuniesz dłoń, aby znaleźć swój śliczny guziczek i odkryjesz, że bielizna jest wilgotna od środka, ale ja byłam ślepa, przysięgam ci, siedziałam w koronie drzewa, nie zdając sobie sprawy z niczego, nie widząc, że facet nie chce się żenić ani ze mną, ani z nikim, że jest jednym z tych mózgowców, których rajcuje wypisywanie świństw, i kiedy przesłała mu w końcu zdjęcie, o które ciągle prosił, chociaż poszła się wydepilować i powiedziałaś fotografowi, żeby uważał na grdykę, obojczyki, zdradliwą długość ramion, była to pozycja studyjna, z aluzyjnym welonem z tiulu i jedwabną sukienką, odpowiedział mi listem poleconym odwołującym nasze spotkanie, jakiś jego brat właśnie został zabity przez partyzantów frontu wyzwolenia nie wiem, czy na Madagaskarze, czy w Indochinach, i on musiał tam natychmiast wyjechać, stawić czoło sytuacji, zająć się interesami rodziny, nie mógł czekać, odpływam jutro,

żegnajcie marzenia, ideały, projekty, żegnajcie, żegnaj,
moja miłości, okrutne przeznaczenie, razem mogliśmy
być szczęśliwi, absurdalnie życie nas rozdziela

jedno rozczarowanie za drugim, ale ty nie rezygnowałaś,
nadal czytała ogłoszenia, odpowiadała na listy, i zawsze
ta sama płyta, śpiewka, refren, o ekologii, muzyce kla-
sycznej w płomiennym uniesieniu, zuchwałe propozycje, które na dodatek nigdy nie dochodziły do skutku –
musiała stamtąd uciec, podjąć się ryzyka skomplikowanej, wyrafinowanej operacji, poszukać szczęścia w su-
rowych, dalekich stronach – dekoracje starego melo-
dramatycznego filmu były doskonałą scenerią, w którą
harmonijnie wpisywali się bohaterowie twojego dawnego, nieudanego gwałtu – osłupiałe postacie, tak jak ty,
obdarzone gwałtownym i przekonywającym seksapilem,
wyposażone w okazałe narzędzia, jedyne w swoim rodzaju, nieuniknione – ktoś przekazał mi wiadomość o tobie,
niesamowity *áscari*, który jest w Targist, i napisałam do
ciebie już bez nadziei, tak jak się rzuca butelkę do morza,
nie wiedząc jeszcze, że mimo naszych różnic wieku i klasy, wyroku, który odsiadywałeś, skumulowanego wiru
przeszkód, on był, będzie mężczyzną jej życia, że byliście,
byliśmy, nieodwołalnie skazani na miłość

ale on nie był taki jak inni
od razu przechodziłeś do konkretów
odpowiedział ci, odpowiedziałeś mi bardzo grubymi lite-
rami, jego pisarz był towarzyszem w kazamatach, zwo-
lennikiem doskonale fonetycznej ortografii, umieszczał

w twoich tekstach nawiasy i komentarze, wezwania o łaskę Allacha, swoje własne inicjatywy, prosił, żebyś o nim pamiętała, mówił, że jesteście jak bracia, prosił o łaskę niewielkiej nagrody, kilka peset na papierosy, ale pszę mu nic nie muwić, jaksie dowie zabijemie

pracowałam wtedy w lirycznej rewii, w teatrze Cervantesa, i twój list dosłownie mnie poraził

muwionomi że jes pani wielkom artystkom i hce pani znaleś oficjalnego nażeczonego, pamiętasz? potem jej mówił, że jest kapralem, kawalerem i bez rodziny, przesłał ci zdjęcie, w swojej wojskowej czapce, dziki, atrakcyjny, smagły, elegancki, sympatyczny, prawdziwy Maur zabójca, doskonale wyglądający z wąsami, muj instrument jes bardzo dugi, wiencej niż dwadzieściasześ centymetruf, dobże go widać kiedy mam spodenki gimnastyczne i porucznik Garsia muwi że jestem wyjontkowy jeśli pani pszyjedzie zobaczyćsie zemnon tu w Targis nieh pani powie sierżantowi że jes pani mojom nażeczonom to pozwolom pani zobaczyćmie samnasam i razem bendziemy szczenśliwi i śfietnie sie zabawimy jak buk pozwoli

a on, pisarz

to prawda jes strasznie dugi i kapitan niepozwala mu iś do domu ktury tu mamy w Targis bo madam powiedziała że zara by musiała wysłać fszyskie dziefczyny do szpitala i kiedy sie gimnastykuje ma dugie spodnie bo inaczej wyhodzi mu bokiem i zara fszyscy umierajom ze śmiehu

nie pisałeś mi, dlaczego jesteś w więzieniu, tylko pewnego pehowego dnia fsadzilimie na czy miesionce, ale skry-

ba poprosiwszy o kupienie tytoniu, wyjaśnił wszystko, zerżnoł młodego hopaczka, oto co przemilczałeś, bandyto, i ojciec jak zobaczył młodego, poszet na policje, a poniewasz był sioszczeńcem alkada wysłuhaligo, ale to nie jes nic strasznego i dzienki bogu jeśli zapłaci rodzinie hopaka jednego barana wypuszczom go na wolnoś
postscriptum znajdowało się na następnej stronie, trochę innym pismem, nagryzmolone na czerwono
to jes pukiel włosuf jak sie ogoliem na dole i pszesyłam go zakohany fpani pienknie jes tu ałtobus codziennie z tangeru do alusemy lepiej kupić bilet zwypszedzeniem bo jes bardzo mały i pełny ludzi

jak się oprzeć krewkości i niepodważalności twojej argumentacji? mistyczna, oszołomiona, tryskająca radością, wsiadam do autobusu
stary powolny gruchot, puszczający wiatry, astmatyczny, zdyszany, przepełniony głuchym burczeniem, wypchany do granic możliwości – chłopki opatulone ręcznikami, w obszernych słomianych kapeluszach, frędzle, serpentyny, wstążki, rudymentarne karuzele, pomiędzy koszykami tobołki, graty, przerażone króliki, rozzłoszczone kury, śpiące dzieci, chaos głosów, pożegnań, krzyków, alarmującego wycia silnika, hałaśliwego gdakania, szarpań, hamowań, wstrząsów, tajemniczych zatrzymań, mdłości, wymiotów, wyjście i wejście podróżnych, policyjna kontrola, liczne rodziny, przepychanki, żeby zająć miejsce, marzycielskie wieczorne pejzaże, niemożebnie przeładowane osiołki, stada owiec i kóz, skąpe uprawy, nędzne chałupy, kobiety siedzące

w przydrożnych rowach, czekające na jakąś nieprawdopodobną odmianę losu, klaksony, karawana mułów, ludzie wracający z jarmarku, młodzi pasterze nieruchomi jak strachy na wróble, mężczyźni klęczący w modlitwie albo sikający w kucki, niezdecydowany zmierzch, zniechęcone i apatyczne światło, słońce wyczerpane wykrwawieniem, wymuszona ostateczna deterioracja, orgiastyczna agonia, zanim schowa się za górami, zniknie, pociągnie nas wszystkich do zniszczenia, osierocone równiny, błędne cienie, wzmagająca się mętność, porzucone postacie

ona też opatulona, absolutnie incognito, bez makijażu ani farby, osłonięta przed ciekawością i zdumieniem neutralną powściągliwością twoich zagadkowych sąsiadek, może zajętych, na szczęście, milczącym oglądaniem innej Europejki, blondynki, bladej, otyłej, aerostatycznej, napuszonej, gotowej, można by rzec, rzucić cumy i majestatycznie pożeglować w powietrze niczym świetlista mongolfiera
nie, nie jestem zła, naprawdę, i ty to wiesz, nigdy nie żywiła urazy do nikogo ani nie lubiła przesadzać, zawsze staram się być obiektywna
oparła każdy z pośladków na innym siedzeniu, przypuszczam, że zapłaciła za dwa bilety, w każdym razie kierowca nie pisnął ani słówka i wszyscy traktowali ją z szacunkiem, dominująca, imponująca, niesamowita, ogromna jak wielka demonstracja protestacyjna, wachlująca się, umierająca z gorąca, chociaż znajdowaliście się w najsroższym środku zimy, z minimalną głową w po-

równaniu do rozmiarów ciała, oczy wyblakłe, wyłupiaste, mały nos, usta wydęte i zdumione, dyszała biedaczka, musiała coś otworzyć i łyknąć jakąś ciecz, buteleczkę mocnego alkoholu, powinna jeszcze tylko puszczać bańki, żeby można było uwierzyć, że jest w akwarium

nie oburzaj się, kochany, gadam, jak to się mówi, po to, żeby gadać, aby trochę uprzyjemnić noc, zagłuszyć ciszę
noc była ciemna i autobus sunął po krętej drodze w górach, pamiętam blask księżyca na wadi, częste szczyty, drżące światła, skostniałe postacie w dżellabach, kafejki pełne palaczy fajek z haszyszem, Bab Berrad, aromatyczną szklankę herbaty z miętą, chwianie się głowy, na wpół uśpiona, mimo złego humoru i machania skrzydłami somnambulicznej kury, a jeszcze nieskończoność zwrotów, pięcie się w górę i jeszcze wspinanie się, wypalone słońcem równiny, pozorne unoszenie się wśród chmur, nagłe maźnięcia światłem, gęste lasy, czuwanie świerków, kontrola w Ketamie, *áscari*, żołnierze Tercia, kłótnie, papiery, rejestry, wyrzucenie jakiejś staruchy bez dokumentów, znowu w drodze, podjazdy, dziury na szosie, kolejka w lunaparku, spienione morze, dryfowanie, falowanie, mgła, obfita blond walkiria, scenografia ze *Statku Widmo*

dniało, gdy dojeżdżaliśmy do Targist
było za wcześnie, żeby cię zobaczyć, wynajęła pokój w zajeździe, wypiłaś filiżankę kawy, zrobiłaś sobie dokładny makijaż, przeczytała twój list dziesiątki razy, znałam go

na pamięć, poczekałam, aż odtrąbią pobudkę, wciągną flagę, przywiozłam dla ciebie torbę z ubraniami, swetry robione na drutach specjalnie dla ciebie, flakon wody kolońskiej, sportowe spodenki, obcisłe na udach po to, żebyś nie pokazywał innym twojego zwisającego cennego skarbu, szczęśliwa jak dziewczynka w dniu pierwszej komunii, kiedy szłam w stronę koszar twojego regimentu, spokojna, święcie wierząca w pewność twoich słów, bez żadnej niecierpliwości, przeciwnie, smakując chwile oczekiwania, odporna na zaloty i propozycje, uśmiechnięta, pewna siebie, skromna, w kierunku białego budynku z blankami, krzyczysz wraz ze strażnikami na służbie, Wszystko dla Ojczyzny, zapytałam strażnika, przeszłaś do sali odwiedzin, rozkazy, andaluzyjska milicja, zaspany sierżant, podporucznik jeszcze nie przyszedł, musiałaś czekać z innymi, siedząc na kamiennej ławce, z torebką na kolanach, skupiona, poważna, dali ci numerek, wzywano ich na zmianę, a ja myślałam o tobie, mój kochany, o twojej sławie i jej przyczynie, o niewypowiedzianej chwale twoich czynów

siedem!

tak, twój, podparła się, podeszłaś do okienka, w którym wszystko załatwiano, podała kartę sierżantowi

on – kogo chce pani zobaczyć?

ja, dumna z ciebie, dość głośno, aby wszyscy mnie usłyszeli – starszy kapral Azizi Mohamed, numer 2846!

on – czy pani jest z rodziny?

ja – nie, proszę pana, jestem jego narzeczoną

i nagle, z tyłu, grom stentorowego głosu, z nieuchronnością nagłej katastrofy jak to jegho narzeczhona

mongolfiera, jeszcze przywiązana do ziemi, zapowietrzona zdumieniem, unosząc buteleczkę z alkoholem w stronę rozwartej, okrągłej czeluści

pani nie jest jegho narzeczhona, pani jest podhła oszusthka!

podeszła, miała bardzo małe stopy, szurała nimi przy chodzeniu, jakby się bała utracić kontakt z ziemią, lewitować bez udziału gazu

kapral jest moim leghalnym menżem, wzieliśmy śhlub koresphondencyjnie, oto moje paphiery i podbihty paszport!

wszyscy ucichli, wietrząc tragedię, sierżant patrzył na nas obie i nagle wydał się podniecony, przekazał informację podporucznikowi, tamta sapała, galaretowata, rozlazła, rybia, meduzowata, z furią potrząsała litewskim paszportem, przejechała przez całą Europę, żeby cię zobaczyć, poinformuhje konsula mojegho khaju, to jest zniewagha, a ty, mój kochany, spokojny w swojej celi, nie wiedziałeś, że wywołałeś w strażnicy okropne zamieszanie, szalony rwetes, aż podporucznik kazał cię wezwać i przyprowadzili cię tam, w eskorcie dwóch strażników, a widząc całą kołomyję, chciałeś się wycofać, udawałeś Greka, udawałeś, że nie rozumiesz tej wrzawy, to była rewolucja, żołnierze ustawili się kołem wokół was, jakbyście były dwoma walczącymi kogutami, Litwinka obrzucała mnie obelgami, krzyczała i krzyczała, i wszystkim podobała się sytuacja, żartowali sobie z ciebie, radowali się z międzynarodowej sławy twojego członka, ale mnie było wszystko jedno, już ciebie zobaczyłam, twoją swobodę, młodość, postawność, potężne wybrzuszenie twojego rozporka podsyciły moje atawistyczne nadzieje, wiedziałam, że znowu się spotkamy, miał nas połączyć przychylny układ gwiazd, te kłopoty doprowadzały mnie do śmiechu, przysięgam ci, tamta dalej wyrzucała z siebie te swoje bałtyckie zarozumiałości, a ty słuchałeś ze spuszczoną głową, przebiegły, szczwany, wspaniały żbik po nocy niegodziwego kurestwa

ruszyłam po wzgórzach Rif, zapomniałam się, już ósma, a ty nieprzygotowana, linia brwi, tusz, róż, kredka do ust, rzęsy falujące niczym bicze, poprawienie tuszem pieprzyków, nie sposób uporządkować odrobinę twojego schronienia, fotonowele, zwiędłe epistolarium, ilustrowane czasopisma, strony z ogłoszeniami, dawny wycinek, który skłonił mnie do odszukania ciebie, dał jej impuls do przebycia oceanu, wylądowania w Ameryce, narzędzie najbardziej w świecie przyprawiające o zimne dreszcze panie i panowie, szalona kronika, opisywała jego kształty, wyolbrzymiała rozmiary, prowadziła krytykę twojej scenicznej apoteozy
dobrze się okryć, wyjść na ulicę, przebyć miasto z metalu i mgły, samochody, płatki śniegu, uliczne światła, daleka od wszelkich myśli o przelotnych kochankach, nie próbując nawet *the cruising areas*, Greyhound Terminal, Exchange Way, Liberty, Penn Avenue, podążać mozolnie śladem, który powinien zaprowadzić ją do katakumb, do królewskiego i mrocznego barłogu, twojego łoża nowożeńców, wyposażona jedynie w wyszukany instrument *zahorí*, czekając na wszelki znak przeznaczenia,

kamienie rozsypane na drodze jak u Tomcia Palucha, groty, piekielne rejony, kanalarze, nocna speleologia, oświecona wiarą, którą we mnie wzbudzasz, uśmiechnięta, pełna animuszu, wytrwała, zahartowana, niezmordowana

Sightseeing-tour

the vitality of many bloods - the imaginative efforts of industrial leaders - a concentration of natural resources and financial wealth - a fortunate geographical formation and location - all of these assets contribute to the character of the present day city

z nałożonymi słuchawkami, uczestnicy kongresu, delegaci, goście rozparci na swych siedzeniach, osamotnieni, chronieni od hałasu przezroczystym dachem, wklęsłym, szklanym, podłużnym, filtrującym słoneczne promienie – wielki wieloryb pozornie uśpiony, ze swą przejrzystą, promieniującą strukturą, jeszcze świetniejszą dzięki punktowym promieniom, dbałym, niemal oportunistycznym, słońca, które zwykle, w tym okresie i na tej szerokości, skąpi swej jasnej obecności i nie okazuje lwiej grzywy, lecz po przewlekłej przerwie, niczym primadonna, która umknąwszy przed entuzjastycznym aplauzem swych wielbicieli, w końcu łaskawie wyłania się zza kurtyny, po długich prośbach, kapitulując w obliczu zawziętego uporu publiczności

here, the pistons of technological development accelerated during the twentieth century and maintained their rhythm even during the depression years – shafts of steel, sheaths of glass, thrust of concrete gradually reshaping their architectural contours - these reflect the spirit of a city founded upon ideas - new concepts with which to experiment, and proven ones deserving of innovation

wyjaśnienia, analizy, panegiryki symultanicznie tłumaczone przez słuchawki na dialekt medyński, na tubylczą góralską mowę, *halaqi*, bywalców i mieszkańców placu przybyłych w grupie, aby bawić się niesamowitym zdarzeniem, atrakcyjnym spektaklem kupczenia, krzątaniny, smogu dalekiej uprzemysłowionej metropolii – przezornie chronieni przed możliwym zanieczyszczeniem środowiska

(trzeba być niebywale ostrożnym na tych mało prawdopodobnych i nieznanych ziemiach, zarówno fascynujących, jak dziwnych)

dzięki wytrzymałemu i hermetycznemu dachowi potwora wynajętego przez Sahara Tours – pochłonięci kontemplacją malowniczej, egzotycznej panoramy, zachwyceni lokalnym kolorytem o niebywałym i onirycznym rozplanowaniu, oszołomieni zawrotną proliferacją komórek, niełączących się, zmotoryzowanych

technological advances consistently originate in our industry - non manufacturing enterprises presently thrive and increase in a most encouraging environment - all of these efforts and ventures project the city squarely into the exciting business of anticipating tomorrow - in addition to supplying many of the materials that sustain today's civilization, this capital commits itself to a kind of permanent transition, forever seeking imaginative and resourceful responses to a changing community, nation and world

zebrani w lśniącej wysepce z metalu i szkła, przeniesieni prosto z miasta w kolorze ochry i różu – z rzeczami rozłożonymi w wygodnym miejscu, specjalnie do tego przeznaczonym, przed miękkimi fotelami pullmana albo na przestronnej pustej przestrzeni umiejscowionej pod mechatymi siedzeniami – metalowe pudełeczko ze wszystkimi ich skarbami, zgraną talią kart, kolorową planszą anatomii, rozprawą o sztuce uwodzenia z kulinarnymi przepisami na afrodyzjaki, starym i wyświechtanym egzemplarzem Koranu – staruszkowie w bieli ubrani od stóp do głów, dziewczyny z kolczykami i srebrnymi bransoletkami, chustkami o lekkiej i nieznacznej przejrzystości, bogactwo pasków i kapci, turbanów jak harmonijnie zwinięte węże

it exports steel, aluminium, glass, coal, iron, food products, know-how, and football players – it creates new talent, new ideas and new industries – it's a city of contrasts – the present is the cornerstone for the future, and the excitement today revolves around the ambitious plans the people have for their community – it is an amazingly young man! – and if our citizens have anything to do with it, it will grow younger and stronger the older he gets!

duchowo nieskomplikowany gładzi ścięgna swych pośladków, miłośnie pieszcząc je niczym czuła mamka
kobieta w kwefie przepowiadająca przyszłość
zgarbiony cudotwórca ze swą kredą do robienia napisów
chłopak akrobata ubrany w marynarkę i kapcie w pstrych kolorach
tancerze *gnaua*, w nieskazitelnie białych bluzach i spodenkach, o nogach gładkich, ciemnych, o nieskrępowanej i niezbędnej nagości

wielkolud o potężnej czaszce, doskonale ogolonej, nigdy wyolbrzymionej i masywnej, szerokich barkach, miedzianej skórze, mięsistych ustach, mongolskich wąsach, spływających po brodzie, zębach wysadzanych złotem stary mim z głową przykrytą blond peruką

dwóch klownów z oślimi uszami i elementarnym przebraniem

fleciści o stalowych nerwach, o ciemnej cerze i szorstkich wąsach, w towarzystwie *zamil* w kobiecym ubraniu, z cienkim kwefem z gazy, haftowanym paskiem

zbieracz gadów o faunowej hiszpańskiej bródce, niczym wspaniały kozi samiec

skryba z piórem, kałamarzem i pomarszczonym pergaminem

kupcy, mędrcy, rzemieślnicy, pomocnicy aptekarza, studenci szkół koranicznych

as you will observe, our reputation as an industrial center is matched by our growing ability to entertain, to enlighten, to provide diversions for all ages and interests - within a compact city the vacationer, the businessman and the entire family find easy access to a variety of exceptional leisure pastimes

zbieganie się rzek, nakładanie się makiet, oszałamiające konstrukcje z metalu, ośmiokątne wieżowce z chromowanych luster, stalowe mosty, kulisty szyszak niczym pierścień Saturna albo kościelna piuska - uważni na symultaniczne tłumaczenie przewodnika, uśmiechającego się i doprowadzającego do skrajności swą wystudiowaną gorliwość, czekając na chwilę, kiedy poprowadzi ich do hotelu, w którym mieszkają, i uniżenie zainkasuje *mezzo* dobrowolny napiwek - w związku z tym zwracać uwagę na aspekty najbardziej kolorystyczne i typowe swego kraju, gotowe rozbudzić ich zainteresowanie i podsycić przewidywaną ciekawość – na przykład, zakaz władz miejskich, niedawno narzucony krajowcom, chodzenia pieszo w obrębie miasta, aby nie zakłócać ociężałością i powolnością dwunogów nieograniczonego i wartkiego ruchu parku samochodowego – natychmiastowy areszt stosowany wobec przestępców i ich obowiązkowe poddanie badaniu alkoholomierzem – mandat ściągany *in situ*, a w przypadku recydywy przymusowa atrofia kończyn górnych winnego i następujące po niej wysłanie do jednego z bezpłatnych centrów reedukacji – wyjaśnić z uspokajającym uśmiechem, że rzeczone środki z pewnością drakońskie, ale zdrowe i sprawiedliwe, w żadnym razie nie są stosowane wobec gości i turystów – wierzymy w niemożliwą do prześcignięcia doskonałość i skuteczność naszego własnego modelu – niemniej, szanujemy opcje innych i nie staramy się go narzucać siłą

few places of the world enjoy topographies as spectacular as our's – the city's triangular formation on three rivers, the Allegheny, the Monongahela and the Ohio, creates an unforgettable visual experience – an observation deck fashioned by nature rises 600 feet above the rivers to present an extraordinary 17-mile wide panorama of the city – some of our most glamorous restaurants and coctail lounges reside atop Mt. Washington and they enhance luncheon or dinner with an exciting view – on evenings, from May through October, an illuminated fountain froths at the Point

pozwolić im skierować lornetki na fontannę, cudownie wytryskający bezcelowy pióropusz piany, zatrzymać

spojrzenie na pociągającym ogrodzie łonowym, trójkąt-
nym, stworzonym przez zbiegające się rzeki, dostarczyć
cudownych komentarzy w wygodnym fotelu
kłaść nacisk na inne godne uwagi i zdumiewające cechy
przemysłowego miasta i jego nader specyficznego ustroju społecznego
people travelling to the city from Parkway West pass through
the Fort Pitt Tunnel and onto the Fort Pitt Bridge, which
makes the downtown's most impressive gateway, arching its
framework suddenly against the vertical splendour of the
Golden Triangle – the Hilton Hotel faces the bridge – Gateway
Center buildings rise in the background – top right – our oldest
structure, the Blockhouse of Fort Pitt attracts the history
students to Point State Park – across the Allegheny River, the
Three Rivers Stadium creates contemporary contrast
na przykład bary szybkiej obsługi
rzeczywiście, komu się nie zdarzyło przejść obok stołków
i funkcjonalnych plastikowych stolików typu McDo-
nald's albo Kentucky Fried Chicken, gdzie klienci konsumują hamburgery, hot dogi albo kanapki z wędzoną
szynką, oddzieleni od przechodniów zaledwie niedys-
kretną szklaną taflą wystawy, zatrzymać się przed jednym
z tych przyciemnionych obżartuchów, którzy łapczywie
wsuwają jedzenie, aby uważnie im się przyjrzeć z drugiej
strony szyby z milczącą, ostrą dezaprobatą, doprowadza-
jąc ich do zmieszania i poczucia winy, zupełnie jak gdyby srali?
no dobrze, to szokujące zjawisko, tak powszechne w innych czasach, zostało kompletnie wymazane w naszym
pionierskim mieście z tej prostej przyczyny, że prze-

kształciliśmy w sposób radykalny prymitywne pojmowanie pożywienia

w miejsce ciężkich i ciężkostrawnych posiłków, które niepotrzebnie obciążają żołądki i w dłuższym okresie powodują wszelkiego rodzaju choroby jelit, narzuciliśmy wyłączne użycie produktów uprzednio przetrawionych w celu oszczędzenia organizmowi zużycia i zmęczenia powodowanych żuciem materiału odżywczego, jego połykaniem i przyswajaniem – nasza dewiza najbardziej konkurencyjna – nie trapcie się już wrzodami żołądka ani chorobami woreczka czy trzustki – jedzcie bez niepokojów i kompleksów – wcześniej wszystko dla was przetrawiliśmy!

jak? – poprzez masową produkcję pastylek, rozpuszczalnych ampułek i pigułek odpowiednio zaopatrzonych w dokładną równowartość witamin, kalorii, soli, i tym podobnych jadalnych odpowiedników, które zastępują posiłki i jeszcze je przewyższają, a powoli rozpuszczone w ustach dostarczają rozkoszy dla podniebienia, smaku, są zdolne zaspokoić wymagania wykwintności i wyszukania najbardziej wytrawnych smakoszy

czy to w zwyczajowym snack-barze, czy też w cenowo przystępnym barze samoobsługowym, czy we francuskim lokalu o wykwintnej kuchni – mogą państwo zamówić danie lub kombinację dań, które najbardziej państwu odpowiadają, i cieszyć się nimi samotnie, w gronie rodziny albo członków waszego przedsiębiorstwa, wedle waszych upodobań i możliwości finansowych, czy to przekąską lub przystawką, albo wyszukaną i wyborną ucztą

proszę spojrzeć, panie i panowie, na sąsiednią restaurację
– znakomity dyrektor od Kauffmann'sa i małżonka świę-
tują dziesiątą rocznicę ślubu i wybrali na tę okazję kla-
syczną scenografię, elegancką, dyskretną – kelnerzy
w białych mundurach, *chef de cuisine* w białej czapie, cztery zastawy z cennego serwisu, bogato haftowane obrusy
– menu dnia – *crème vichyssoise, soufflé de barbue aux coulis
d'écrevisse, filet de boeuf aux truffes, charlotte aux framboises*
– ceremoniał, nastrój, usłużność personelu, muzyka
w tle są zawsze takie same, lecz potrawy zostały zastąpio-
ne drogimi koncentratami o wyszukanych zapachach
i delikatnym smaku, co zwalnia udręczony system tra-
wienny ze swej, powtarzającej się w nieskończoność,
mechanicznej funkcji – wchłaniania jedzenia poprzez
ściany jelit albo wydalania go poprzez wijące się meandry
aż do nieszczęsnej i zgubnej finalnej prostej – proszę do
tego dodać zachwycającą możność wyeliminowania
wszelkich odpadków albo śladów subtelnego, kwintesen-
cjonalnego pochłaniania dzięki zwykłemu naciśnięciu
na guzik, który szlachetnie zastępuje łańcuch i depozyt
w naszym oryginalnym, opatentowanym modelu elek-
tronicznego *waterflash*, a będą państwo w stanie ocenić
nieprawdopodobny wymiar, w zakresie higieny i estety-
ki, śmiałej decyzji naszego miasta!
*in this compact city a tourist may reach any important
downtown destination by walking if he wishes – on the way, he
may purchase from, or simply browse trough, the world market
of synthetic foods – he may choose from a variety of fine
restaurants, some with breathtaking views of the area – in
planning our changing scene, we consider the well-being of our
citizens and our guests!*

inna typowa dla nas właściwość – racjonalny i niedościgniony system zapładniania

jak z pewnością państwo wiedzą, panie i panowie

(nierozszyfrowalny wyraz twarzy ludzi z Marrakeszu stłoczonych w dyszącym wielorybie)

stworzenie jednostki wymaga połączenia dwóch gamet – jaja i plemnika

to pierwsze zwykle jest jedyne – wytworzone przez jajniki pod koniec każdego cyklu menstruacji, jego trasa jest prosta i krótka – przebyć trzecią część jajowodów w poszukiwaniu tych, które je dopełnią

one zaś

wręcz przeciwnie

wyrzucane są milionami, a znakomita ich część jest uszkodzona albo bezużyteczna

(czterdzieści procent form anormalnych i niepłodnych)

niższa liczba nieruchawych i powolnych

(od dwudziestu do trzydziestu procent)

i wielka liczba odpadów

(komórki niedojrzałe albo niemające związku z procesem reprodukcji)

cel istnienia ogromnej dysproporcji w produkcji gamet męskich i żeńskich stanowi głęboką tajemnicę, którą bezskutecznie starali się rozwikłać biolodzy i naukowcy z całego świata

wyścig do jajeczka

panie i panowie

w pewnym sensie przywodzi na myśl gigantyczny bieg przełajowy

na początku zawodów miliony uczestników, jakby za sprawą sędziowskiego gwizdka, rzucają się na pochwę, gdzie znakomita ich część pozostanie bez ruchu, przedwcześnie zwyciężonych i wyczerpanych

zaledwie kilka setek tysięcy dotrze do płynnej wydzieliny szyjki macicy, bariery albo przeszkody wymagającej pierwszej i radykalnej selekcji – tam rozbiją się niezdolni, niezręczni albo koślawi, leniwi, obdarzeni słabą ruchliwością

natomiast najbardziej aktywni i energiczni osiągną krypty szyjki i kolejnymi batalionami liczącymi po kilka tysięcy wyruszą na podbój upragnionej gamety o przeciwnym znaku, którą tylko najbardziej sprytny, najszybszy, najwytrzymalszy zdoła spenetrować

aby tego dokonać, będą musieli kontynuować swój marsz na przełaj i unikać mnożącej się serii trudności i pułapek w rodzaju tych, jakie czyhają na miłośnika gier planszowych, ale które w odróżnieniu od nich w każdym przypadku oznaczają nieodwołalny wyrok, z konieczności wyrok śmierci

powinni przebyć wyższą część macicy, chemicznie wrogą, usianą niebezpieczeństwami, i wejść do jajowodu, gdzie ryzyko jest mniejsze i trasa nagle przyjemna, przychylna

kilka setek przybliży się tak krok za krokiem, w ekscytującym biegu z przeszkodami, do trzeciej części jajowodu, terenu właściwego do zapłodnienia

chwila jest niebywale emocjonująca, panie i panowie!

wyścig trwał około sześciu godzin i zdecydowana większość jego uczestników rzuciła ręcznik, zmarła z wycieńczenia!

kolejne fale biegaczy wyruszające z szyjki zatrzymają się na trzy – cztery dni w wybranym miejscu, przerwa wykorzystana przez każdego współzawodnika do udoskonalenia własnej zwinności i wytrenowania oraz drobiazgowego przeanalizowania techniki i zręczności pozostałych, jajo przygląda się, nęcące i samotne, piękne niczym zaczarowana jasnowłosa księżniczka, niezłomnej grze rywalizujących gamet, podczas gdy te wzajemnie podejrzliwie się obserwują i śledzą swe najdrobniejsze ruchy, gotowe natychmiast udaremnić każdą zachciankę podboju najbardziej niecierpliwego lub sprytnego

bieg przełajowy podstępnie zmienił się w nieprawdopodobny mecz rugby, którego jedyna reguła polega na dzikiej walce wszystkich ze wszystkimi!

przechwytywanie, podcinanie, dryblingi niecierpliwych, oszalałych już plemników, blisko, coraz bliżej upragnionego celu!

i oto jeden z nich

panie i panowie

zwinny, przebiegły, kreatywny, chyży, fantastyczny

wyprzedza pozostałych, mija ich pułapki, biegnie, przeciska się, gna naprzód, naprzód, naprzód!

niesamowite, panie i panowie!

wspaniała gameta, Pelé, Zatopek, Di Maggio plemników ostatecznie ucieka rywalom!

pochłania przestrzeń dzielącą go od jaja w nieprawdopodobnym tempie i ze wspaniałą elegancją!

gna przed siebie, zbliża się, zbliża, wdziera się, pakuje do kosza, wpada, wsadza go, t-r-a-f-i-a d-o-k-ł-a-d-n-i-e w s-a-m ś-r-o-d-e-k t-a-r-c-z-y!

GOL! GOL! GOL!

chwila niezrównanych emocji, panie i panowie – odbierającego głos entuzjazmu!

jedyny, wyłączny zwycięzca spośród milionów pecho-
wych uczestników, bohater dnia, as asów świetnie się
zabawia ze swą blond księżniczką i z całego serca wszyscy
obojgu im życzymy

      prześlicznego figofago
      wspaniałego bara-bara
      soczystego ciupciu-ssania
      okrutnego rozmacania z posuwaniem
      cukierkowych i smaczniutkich
      super-orga-maksi-gazmów

szczęśliwego miodowego miesiąca, jebako, ogierze, *super-
macho*!
zdobyłeś ją i ostro się przy tym narobiłeś, jak należy!
baw się, ciesz się, poużywaj sobie, aż do bólu!
z trybun, siedzeń i schodów, widzowie, jednomyślnie ci
zazdrościmy!
*this Gateway Center skyscraper wears its skeleton of high
strenght special alloy steel on the outside – it functions as
headquarters for the United Steelworkers of America*
*the most recent addition to the Gateway complex is the world
headquarters building of Westinghouse Electric Corporation*
teraz uważnie obserwujemy niebywałe ukształtowanie
geologiczne naszego przedsiębiorczego miasta
z wyniosłego naturalnego tarasu widokowego na Mt.
Washington, klin lub przestrzeń stopniowo zwężająca
się poprzez zbieganie się rzek Allegheny i Monongahela,
których wody, zlewając się ze sobą, dają początek majes-
tatycznej rzece Ohio
to odwrócony trójkąt, którego szczyt znajduje się
w Point State Park i jego boki rozszerzają się pod prąd
płynącej wody

czy nasz kochany i znany w świecie Golden Triangle nie przywodzi na myśl graficznego przedstawienia organów rodnych kobiety podczas cyklu menstruacyjnego?

następnie proszę przeanalizować, panie i panowie, rycinę anatomiczną wyświetloną na ekranach telewizorów autobusu, jesteśmy przekonani, że ewidentne podobieństwo wyda się wam uderzające!

czyż zielony ogród Point State Park nie przedstawia gościnnych i przyjemnych kształtów upragnionego mechanizmu pochwowego?

przenieśmy teraz wzrok na punkt, przez który nieustannie przepływają tysiące tysięcy pojazdów przybywających z Fort Pitt Tunnel, na tę Liberty Avenue, która bierze swój początek pomiędzy nowoczesnymi budynkami Hilton i State Office

rzeczone miejsce, tak podatne, aj, na korki i zatamowania, będące nieuniknionym wynikiem jego charakterystycznego kształtu lejka

to ni mniej, ni więcej, jak panie i panowie zauważyli, tylko szyjka macicy

jej kształt często jest porównywany do spłaszczonej gruszki o dolnej części w formie stożkowatej i górnej krótkiej i szerokiej, której zewnętrzne ściany, faliste, odrobinę wklęsłe, tworzą ciągły łuk od przesmyku macicy aż do kąta, w którym dokonuje się wprowadzenie jajowodów, jajnik i okrągłe połączenie, będzie, co oczywiste, naszą znamienitą Dzielnicą Handlową, a najbardziej właściwe dla zrozumienia porównania, jakie przeprowadzamy, będzie stwierdzenie, że wyruszając z Liberty, przechodzi się przez Sixth Avenue, Mellon Square, obiega imponujące bryły z kamienia albo stali Williama Penna, Carlton House i US Steel Building i wpada w Webster Avenue

to znaczy, przez jajowód

przewód umieszczony po obu stronach macicy, w górnej części szerokiego połączenia, przyłączony z jednego końca do szyjki, a z drugiego do jajowodu, i którego dolny przesmyk zgina później swój przekrój w miejscu przeznaczonym do zapłodnienia

miejsce, w którym jajo, po krótkiej drodze przez jajowód, wychodzi kokieteryjnie na spotkanie czoła peletonu plemników, zmierzającego w przeciwnym kierunku

zielona strefa, szczęśliwie umiejscowiona w środku miasta, wygodna arena wielkich miłosnych zmagań, wyśniony piernat tysiąca bitew, niesamowite okrągłe łoże!

tak, tak, tak

widać to, czuje się to – gwiazda jest obecna!

uwodząca, urocza żeńska gameta, widoczna nawet z odległości większej niż trzydzieści mil dzięki olśniewającej kopule ze stali, w której odbija się pensylwańskie słońce

nasze ulubione miejsce zebrań, uroczystości i rozrywki

niebywale popularna

niesamowita

zajebista

CIVIC ARENA!

wyobraźmy sobie teraz wyścig, panie i panowie

olśniewający bieg z przeszkodami

dziki, bezlitosny przełaj

miliony plemników kotłują się w kolejnych falach gnanych przez Fort Pitt Bridge znajdujący się dokładnie u stóp naszej wieży obserwacyjnej

wpadają do Point State Park, wdzięcznej i gościnnej waginy

większość z nich się w niej zatrzymuje albo rozbija o barierę-lejek Liberty, w potwornej hekatombie

jednak najlepsi pokonają przeszkody i niebezpieczeństwa maciczne, przelecą przez Business District, dotrą przez Webster Avenue do wewnętrznego przesmyku jajowodu

tam, panie i panowie,

zawody przekształcają się w tłumny mecz rugby, przerażające gniazdo skorpionów, nagłą, kolosalną czystkę!

cudowna kopuła żeńskiej gamety, naszej wspaniałej, niemożliwej do podrobienia Civic Arena potęguje szaleńczą żądzę posiadania u rozpalonej masy konkurentów!

aż w końcu jeden z nich, panie i panowie

porywająca mieszanka Pelego, Zatopka i Joego Di Maggio

kiwa swoich współzawodników, umyka ich podejrzliwej kontroli, rusza, gna, leci, rzuca się na spotkanie jaja w fantastycznym tempie, łączy się z nim z zawrotną szybkością, przebija stalową kopułę swym potężnym świdrem!

The United States Building is sheathed in Cor-Ten, the corporation's special steel that weathers to form its own protective coating – the 64-story structure incorporates pace-setting engineering innovations and includes a rooftop restaurant with a city-wide view

przejdźmy teraz, panie i panowie, od fantastyki naukowej do faktów

jeśli weźmiemy pod uwagę, że postępy osiągnięte na polu przechowywania spermy umożliwiają zaoferowanie wszelkiego rodzaju alternatyw prokreacyjnych parze, zawsze gdy, rzecz jasna, kobieta jest płodna, dlaczego od razu nie wybrać, powiedzmy, najlepszego rozwiązania?

coraz częściej nowoczesne społeczeństwa przemysłowe odrzucają ryzykowne, amatorskie, kłopotliwe techniki w dziedzinie kopulacji na rzecz inseminacji racjonalnej i naukowej w oparciu o istniejące banki spermy, przechowywanej zgodnie z najnowocześniejszymi metodami zamrażania

zebrane w małych rurkach o 0,5 do 1 milimetra, do czego dodano odpowiednią dawkę gliceryny, stosownie umiejscowione w płynnym azocie o temperaturze -184°, plemniki mogą utrzymać swą płodność już nie tylko kilka godzin lub dni, lecz przez całe lata – rozmrożenia dokonuje się w temperaturze pokojowej i nie wymaga ono uciekania się do żadnej szczególnej techniki – jakość spermy odrobinę się zmniejsza, ale z nawiązką wystarczy do zapłodnienia – pochodzące z tego procesu dzieci są fizycznie i psychicznie normalne, a wieloletnie badania prowadzone nad nimi dowodzą, bez absolutnie żadnych wątpliwości, że zajmują uprzywilejowane miejsca we wszystkich rodzajach sportu, administracji, wiedzy

wybór dawcy powinien odpowiadać, co jest logiczne, serii fundamentalnych kryteriów, tak aby powstała istota nie posiadała charakterystyk niezbieżnych z charakterystykami rodziców – dawcy powinni być inteligentni

i zdrowi, pozbawieni wszelkiego obciążenia dziedziczne-
go i wyposażeni w spermę doskonałej jakości

aby w sposób możliwie skuteczny wyselekcjonować najlepszego kandydata, nasze miasto opracowało przemyślne procedury, co ponownie można porównać do biegu
przełajowego, którym już się posłużyliśmy

wszyscy przedstawiciele płci męskiej w wieku ponad dwadzieścia jeden lat o odpowiedniej rasie i krwi mają prawo
i obowiązek wziąć udział w corocznych zawodach,
w których wyłania się króla strzelców, szczęśliwego i po-
pularnego ogiera

pierwsze sito, dokonujące selekcji kandydatów do tytu-
łu, wykonuje się za pomocą komputerów – bariera albo
rzeszoto, które zatrzyma najmniej zdatnych, tak samo
jak nieruchome gamety, wystrzelone w sam środek waginy

po wyłonieniu w ten sposób najprzydatniejszych, proces
eliminacyjny pozostałych zostanie poprowadzony przy
masowym i bezpośrednim udziale najbardziej zainteresowanych tą sprawą, to znaczy tych wszystkich wdów,
żon, panien, które po uprzednich poradach zasięgnię-
tych w odpowiednich instancjach prawnych, religijnych
i społecznych, pragną zadebiutować lub powtórzyć przy-
jemne doświadczenie macierzyństwa

kolorowe obrazy setek albo tysięcy chętnych pojawiają
się wyświetlone na ekranach telewizorów, a są to zarówno sceny sfilmowane w domu kandydata, i w godzinach
odpoczynku albo w środowisku pracy, jak i jego ubrania
oraz najintymniejsze atrybuty, nie pomijając pierwszych
planów, w normalnych warunkach albo na chwilę przed
wystrzeleniem

ze wszystkimi elementami umożliwiającymi ocenę w rękach, przyszłe matki wybierają najbardziej dynamicznych i atrakcyjnych współzawodników, przyznając każdemu z nich ocenę odnoszącą się do jego różnorodnych cech i części

zwycięzcą próby zostanie ten, który otrzyma noty najwyższego uznania, i w ten sposób wyłoniony przez panny, żony, matki dzieciom, posiądzie wyłączność na zapłodnienie wszystkich jajeczek w mieście z racji swej uprzywilejowanej pozycji, sławnego MISTER LOVE!

two octagonal towers with a common core which at once conserves energy and includes the life safety system of tomorrow – at right, the modernity of National Bank Building and One Oliver Plaza reaches for future's skies

krótkometrażowy film ostatniego zwycięzcy konkursu

krótkie sekwencje – Mister Love ze swym pudlem, głaszcząc elektorsko głowę małego dziecka, paląc marlboro w kowbojskim przebraniu, leżąc nad brzegiem morza z opróżnioną do połowy butelką piwa

jasne, mentorskie, stanowcze oświadczenia pozwalające ocenić ciepły, namiętny i męski tembr jego głosu

lubię heinekena, bo ma smak!

oświecające kompendium jego zamiłowań, preferencji, lektur, idei filozoficznych, kulinarnych nawyków

idealna odzież?

koszula Saint-Laurent, spodnie Cerruti, marynarka Barney's, miękkie i wygodne obuwie dzięki anatomicznemu i oddychającemu modelowi Yanko

jaki jest jego ideał kobiety? – matka, siostra, koleżanka, kochanka, dziwka, żona?

odpowiedź błyskawiczna, lśniąco dentystyczna

mnie pociągają wszystkie!
close-up jego instrumentu, najpierw sflaczałego, a potem wyprężonego,
późniejszy komentarz, ze skromnością wypisaną na twarzy, niewysłowioną
szczerze mówiąc, nikt się na mnie nie uskarża!
i znowu dom, ogród, basen, przy kierownicy swego nowo zakupionego forda Capri, na zakupach w Chatham Center, na zebraniu dyrektorów Koppers, wpłacający pieniądze na swe osobiste konto w Equibank, rozdający uśmiechy i autografy swym przyszłym kochankom

        jego dane
        zaraźliwa sympatia
        trzeźwy osąd
        wesoły charakter
        żelazne zdrowie
        doświadczenie jedyne w swoim rodzaju
        porywająca osobowość

podsumowanie przy wyłączonej kamerze, kobiecym głosem
kto go raz spróbuje, nie będzie chciał innego!
the retractable stainless steel dome of the Civic Arena and Exhibit Hall is 415 feet in diameter and 135 feet at its apex - the Arena serves as a sports center during hockey, tennis and college basketball seasons - ice shows, industrial exhibits and musical occasions of many kinds are also presented here
proszę w końcu spojrzeć, panie i panowie, na niezapomnianą ceremonię zapłodnienia
jasnowłosa piękność, wstępnie ubrana na biało, jest gotowa wprowadzić jedną tylko sondą plemnik zwycięzcy do trzeciej części jajowodu

włosy puszyste, pofalowane niczym czubek waniliowych lodów – oczy błękitne i obywatelskie, prezbiteriańskie, antysegregacjonistowskie, abrahamlincolnowskie – usta czerwone, jak modelki, pomalowane z wielką starannością – żywy przykład podstawowych cnót *Pilgrims* – trzeźwość, oszczędność, szczera wiara w wartość *fair play*, indywidualizm, postęp

fotografie idola pokrywają ściany i meble w pokoju, jego powiększony obraz promieniuje oszałamiającym uśmiechem wyświetlonym na ekranie najnowszego modelu telewizora

dyskretna i romantyczna muzyka w tle, której zadaniem jest podkreślać transcendencję i subtelność spotkania

Chopin, Liszt, Johann Strauss towarzyszą swymi wybranymi melodiami trasie od waginy do jajowodów, z Fort Pitt Bridge do Civic Arena

rumieniec, podniecenie, ekstatyczna mina zapładnianej, której oblicze, co mogą państwo sami ocenić, obrazuje spazmy, zasnuwa się mgłą, zdaje się kurczyć, osiąga nigdy niewidziane paroksyzmy, krzyczy, złorzeczy, ryczy, wyje z rozdzierającą intensywnością

plemnik

tymczasem

idzie naprzód, zbliża się, przenika, wchodzi, trafia dokładnie w cel!

ciach, i już!

akordy marsza weselnego gloryfikują czyn atmosfery, niepohamowaną eksplozję szczęścia wniebowziętej właścicielki jajeczka!

ceremonia trwała minutę i trzydzieści sekund z zegarkiem w ręku

nieprawdopodobna oszczędność pieniędzy, zachodu
i energii!
dla społeczności
dla współmałżonków
dla wszystkich
nasza dewiza jest zawsze taka sama i nigdy nie przestanie-
my jej powtarzać
CZAS TO PIENIĄDZ!
*city of hills, valleys, creeks, and three rivers, our capital is laced
together with bridges – seven spans can be seen in the fantastic
view from Mount Washington*
sightseeing tour dobiegła końca
z nałożonymi słuchawkami, uczestnicy kongresu,
delegaci, goście rozparci na swych siedzeniach, osamotnieni, chronieni od hałasu pod przezroczystym dachem,
wklęsłym, szklanym, podłużnym, filtrującym promienie słoneczne ogromnego wieloryba, jeszcze uśpionego,
trawią jak mogą wyjaśnienia, analizy, panegiryki dopiero
co przetłumaczone na medyński dialekt, na tubylczą góralską mowę, *halaqi* – pochłonięci kontemplacją malowniczej, egzotycznej panoramy, zachwyceni lokalnym kolorytem o niebywałym i onirycznym rozplanowaniu, o-
szołomieni zawrotną proliferacją komórek, niełączących
się, zmotoryzowanych
*attractive suburban communities and shopping malls dot
roads east from the Golden Triangle – farther east, the Laurel
Mountains offer a source of scenic beauty and serve as the
location for winter and summer resorts and recreation*
kiedy niezwykły wieloryb rusza z miejsca, *halaqi*, bywalcy
i mieszkańcy placu szepczą cudowne *ja latif!*

potwór żwawo zjeżdża po szalonej stromiźnie, nagle wpada przez Fort Pitt Bridge, dalej bocznym rozjazdem przez Point State Park, nieruchomieje ze swym ładunkiem VIP-ów przed najbardziej pretensjonalnym hotelem w mieście

usłużny przewodnik agresywnie dopomina się napiwku, wyciągając rękę, przy drzwiach

na zewnątrz zwyczajowi ciekawscy otaczają grupę, proszą o autografy i monety, proponują wycieczki i wizyty, zawzięcie domagają się pamiątek wszelkiego rodzaju

oszołomieni podróżni w końcu kapitulują ze zwykłego zmęczenia, przechodzą przez przestronny i luksusowy westybul hotelu, otrzymują klucze od niewzruszonego cerbera, słuchają ostatnich wskazówek swojego mentora, wchodzą do szybkich, bezszelestnych wind, rozsypują się po korytarzach i windach gotowi zakończyć ekscytujący dzień wysłuchaniem PB News, Radio Liberty, przed niewielkim ekranem telewizora

Radio Liberty

nasza najszlachetniejsza dewiza – postęp – skolonizować
daleką przyszłość, podporządkowując ją dyktatowi
sztywnego planowania – poświęcić w ten sposób naturalną skłonność do lenistwa i zabawy – uwolnić się, jedno
po drugim, od naszych atawistycznych przyzwyczajeń
– stopniowo ukształtować ludzkie aspiracje wedle mąd-
rych imperatywów produkcji
wytworzyć u obywateli trwałą mentalność konsumistycz-
ną – nieustające wymyślanie coraz to nowych potrzeb,
których odpowiednie zaspokojenie zmusi człowieka do
ciągłego wysiłku, by poprawiać i przezwyciężać – przysto-
sować technologię do człowieka i, odwrotnie, człowieka
do technologii – rozwijać symbiozę obojga – poddać ca-
łość środków fizycznych i moralnych osiągnięciu przyjętego celu – nasza nieugiętość w tej sprawie wyklucza
wszelkiego rodzaju kompromisy i dlatego przestrzegamy
wrogów i oszczerców – aby utrzymać poziom konsumpcji narodu, jesteśmy gotowi na wszystko – jeśli będzie
trzeba, złożymy w ofierze własny naród – to jest podstawa filozoficzna, której nigdy się nie wyrzekniemy

zachwycająca perspektywa – sukcesywna adaptacja jednostki do środowiska, stopniowa mutacja organizmu zgodnie z nowymi warunkami techniki i otoczenia – wszak w ten sam sposób, jak gatunki podziemne mogą obyć się bez zmysłu wzroku, w miarę jak zaczyna być dla nich zbytecznym luksusem, albo jak przejście od czworonoga do dwunoga powoduje znaczną redukcję i osłabienie kończyn górnych, rewolucja, której dokonujemy, w dłuższym czasie wykształci inny rodzaj istoty ludzkiej, wspaniały gatunek nowego człowieka – postępującą atrofię tych organów, które z braku ich używania albo, mówiąc dosadniej, same z siebie staną się dokuczliwe i niepotrzebne – po co, na przykład, zachować nogi o przesadnej długości i sile, skoro funkcja, do której były przeznaczone, traci rację swego istnienia? – upowszechnienie używania samochodu, zmieniając pojęcie ruchu, usunęło potrzebę chodzenia naszych przodków do rupieciarni na strychu – stąd nasze śmiałe, porywające przewidywania – człowiek przyszłości będzie posiadał członki dokładnie dopasowane do budowy posiadanego samochodu – przedramiona stosowne do średnicy kierownicy, golenie dopasowane do pedałów sprzęgła, hamulców i gazu – totalna harmonia pomiędzy naturą i techniką – zgodność praw ewolucji *homo sapiens* z normami produkcyjnymi centrum planowania

wpajać w dusze naszych obywateli poczucie odpowiedzialności – pomóc im jasno widzieć własne wnętrze – towarzyszyć w trudnej drodze prowadzącej do przyszłości, usuwając wszelkie przeszkody stojące wbrew rozwojowi i rozkwitowi ich osobowości – przekształcić każdą jednostkę w totalnego, absolutnego konsumenta, który pozostawia w naszych rękach nie tylko zorganizowanie jego życia zawodowego, ale także spełnienie zachcianek jego najbardziej intymnego życia prywatnego – poczynając od wyboru ubrania, fryzury, zapalniczki, samochodu, planów podróży, ulubionego sportu, do skrupulatnego wyboru współmałżonka i planowania dzieci, nieustannie mając na uwadze, co oczywiste, wyjątkowość jego pragnień i aspiracji

naturalny, spontaniczny, nieskrępowany człowiek nowoczesny przeżywa swoje życie nie zmieniając w sposób znaczący swego sposobu bycia – tożsamość z samym sobą odzwierciedla się w ciągłości jego stylu – tego oryginalnego stylu, osobistego, na miarę swej miary, tego, który proponujemy, ustalając dla pana serie zestawów, często śmiałych, ale zawsze dopasowanych – od bielizny do swetra, od szalika do kurtki w kratę, od spodni do kapelusza, wszystkie będą harmonijnie do siebie pasować – czy to zwykły przypadek? – w żadnym razie! – nasz sekret polega na poznaniu pańskiej tożsamości, ponieważ wiemy z doświadczenia, że ego każdego człowieka różni się od innych – rzeczona różnica, czasem ukryta, czasem niezgłębiona, jest przez nas starannie kultywowana – marzy pan, na przykład, o czołganiu się nago po szorstkiej ceglanej podłodze, poddając się gwizdkowi hieratycznej blondyny przebranej za zawiadowcę stacji? – pragnie pan, żeby mu wsadzić w dupę składany parasol, ale ze wszystkimi drutami? – te i wszystkie inne fantazje zrealizuje pan, kiedy skontaktuje się pan z nami – proszę porzucić indywidualną partaninę rzemieślniczej mentalności! – świat się zmienia, zwyczaje się modyfikują, gusta ewoluują – obecnie rządzi nowe pojęcie życia, z inną skalą wartości – aby stać się całkowicie samym sobą, proszę skorzystać z naszych usług! – natychmiast odnajdziemy punkt odróżniający pana od innych ludzi

cecha najistotniejsza, wartość stała – pańska młodość idee z nią łączone – zdrowie, spontaniczność, elegancja, smukłość, dynamika, nieskrępowanie, wygląd sportowca, angielskie sukno, karta kredytowa, spotkania towarzyskie, podróże odrzutowcem, whisky z lodem, ruda kochanka, szybki samochód cabrio – a więc – potrzeba bronienia jej przed działaniem czasu – uchwycenia się jej efemerycznych uroków z dyskrecją i uporem – po co okazywać swój wiek, skoro samo pojęcie wieku okazuje się zwodnicze i wątpliwe? – po co zachowywać siwe, rzadkie włosy, dziurawe zęby, skórę pomarszczoną i chorą, jeśli ma pan w zasięgu ręki nęcącą możliwość zastąpienia ich z subtelną i dyskretną naturalnością? – epoka tupetu, chirurgii plastycznej, sztucznej szczęki, z obciążeniem śmiesznością, którą powodują, przeszła szczęśliwie do lepszego życia – to, co dzisiaj proponujemy, to zastąpienie skóry, uwłosienia, siekaczy, kłów, zębów trzonowych nienaturalnie startych przez nieuniknione napięcia współczesnego społeczeństwa, nowymi elementami, które doskonale się wkomponują w odnowiony i uwodzicielski obraz pańskiego organizmu – my pozwolimy panu się śmiać, biegać, cieszyć, pokazywać się bez

kompleksów, dopasowując pańską figurę do oczu bliź-
nich, do tej, którą pieści pan w swych najgłębiej skrywanych marzeniach – lecz do tego potrzebujemy pańskiej
współpracy – proszę się zdecydować i zostać naprawdę
młodym! – proszę nie pozwolić, by okoliczności, zmę-
czenie, pańska nieszczęśliwa skłonność do pesymizmu
zdecydowały za pana! – proszę pamiętać – oddanie w nasze ręce władzy podejmowania decyzji zawsze będzie
najbezpieczniejszą formą decydowania za samego siebie

nasze dwa bieguny przemiany – konsumpcja przeciw
produkcji – wykluczenie stanów pośrednich, zlikwido-
wanie tych martwych godzin, w których obywatele nie
konsumują tego, co wyprodukowali, ani nie produkują
tego, co później będą konsumować – po to, aby dokładnie uregulować wolne godziny, skanalizować pragnienia
i aspiracje jednostki na magnetyczne pole naszej filozofii społecznej – na przykład połączyć ideę odpoczynku
z ideą materaców i tabletek nasennych, ideę włóczenia
się i spaceru z ideą przebogatej gamy propozycji ucieczki wytworzonych przez odpowiedzialne organy reklamy
– jeszcze lepiej – aspirować do doskonałej symultanicz-
ności obu biegunów – stworzenie paradygmatu konsumenta produkcyjnego i vice versa poprzez spowodowa-
nie rozwinięcia jego mechanizmów i funkcji psychicz-
nych i życiowych – możliwość jedzenia, picia, prowadzenia samochodu, rozerwania się – bez porzucania przez to
swego podstawowego charakteru ogniwa w łańcuchu
postępu – upajająca perspektywa przedłużenia w snach
obowiązków i odpowiedzialności podejmowanych w go-

dzinach pracy – dialektyczny skok jakościowy o nieobliczalnych konsekwencjach – dumna akceptacja przez jednostkę wyższego i szlachetniejszego modelu ludzkości

sprawa oczywista – zdobycze społeczne naszych czasów okazują się z dnia na dzień coraz bardziej kłopotliwe dla kieszeni podatnika obarczonego już podatkami i obciążeniami w tych trudnych czasach kryzysu – czy oznacza to, że powinniśmy wyrzucić za burtę coś, co bez wątpienia stanowi gigantyczny krok naprzód w stronę bezpieczeństwa i postępu rodzaju ludzkiego? – czy możemy wrzucić bieg wsteczny, nie odrzucając otwarcie naszych dogmatów i pozbyć się naszych optymistycznych przekonań co do postępu historii? – odpowiedź jest w każdym calu przecząca i jakakolwiek decyzja w tym sensie gwałciłaby nasze pryncypia wolnej gry i poczucie odpowiedzialności – uważamy za niezbędne, przeciwnie, wziąć byka za rogi i stawić czoło dylematowi ze śmiałością i wyobraźnią – nasza propozycja? – bardzo prosta – zdecydowanie obniżyć budżet Welfare State poprzez wyższą formę uświadomienia – natchnąć inwalidów, chorych, kalekich i, ogólnie, wszystkie te osoby, które tworzą to, co media informacyjne eufemistycznie określają jako trzeci wiek, klarowną i obiektywną wizją ich smutnej roli pasożytów – elementów bezużytecznych, które nie produkują tego, co konsumują, i które, rozumując logicznie, powinny powstrzymać się od konsumpcji – stworzyć kursy radio-telewizyjne na ten temat i przybliżyć delikatnie, lecz stanowczo jedyne racjonalne rozwiązanie – ich dobrowolne zniknięcie powodowane poczuciem godności – dlatego radzimy naszym widzom i radiosłuchaczom – odejdźcie, póki jeszcze jest czas! – nie narzucajcie niepotrzebnie swoim bliskim odrażającego obrazu waszej dekadencji fizycznej i duchowej! – my zajmiemy się ułatwieniem wam przejścia do stanu doskonałego odpoczynku – wydatki związane z operacją poniesie oczywiście skarb państwa, a my będziemy zaszczyceni, mogąc ofiarować jako premię, dla pana i pańskiej rodziny, niezapomniany, wspaniały pogrzeb!

niedogodności systemu – brak czasu, kłopoty codziennego życia – potrzeba poświęcenia, już nie wolnych chwil, zaplanowanej rozrywki, ale także tych przyzwyczajeń i praktyk, które, z racji ciągłego ich powtarzania, często przyjmują pośród swych adeptów wagę rytuału – na przykład rozpowszechniona wiara w obowiązek praktykowania miłości w celu zapewnienia przetrwania gatunku – ceremonia niebywale skomplikowana, której absurdalne powtarzanie podczas całego małżeństwa staje się nie tylko uciążliwe dla współmałżonków, lecz oznacza także, wobec społeczności, trudną do oszacowania stratę godzin pracy! – rozebrać się, pieścić, leżeć i tak dalej, a przecież istnieją inne sposoby, znacznie bardziej wygodne i skuteczniejsze, zapewniające kobiecie, która tego pragnie, w sposób natychmiastowy higieniczną, szlachetną, niemal eteryczną ciążę – wystarczy, że zgłosi się do naszego banku inseminacji, którego sieć filii rozciąga się po najbardziej odległe prowincje – tak, jakiekolwiek by były powody, pani i pani małżonek znajdują się od siebie o tysiące kilometrów i wygląda na to, że taka sytuacja się przedłuży – jeśli pani małżonek, proszę pani, jest bezpłodny lub nie dysponuje pani czasem na błahostki albo, po prostu, akt prokreacji was nudzi, my dostarczymy wam rozwiązanie – odwiedźcie nas! – cała operacja zostanie przeprowadzona z oszałamiającą szybkością, w warunkach aseptycznych i z zachowaniem absolutnej higieny – bank strzeże anonimowości dawców, ale dogłębnie analizuje ich charakterystyki, zarówno osobiste, jak i rodzinne, w celu zagwarantowania produktu najwyższej jakości – z tego też powodu ofiarowujemy finansowy dodatek motywacyjny dla mężczyzn wyższej czystości rasy – produkt ich ejakulacji jest przechowywany w plastikowych rurkach, w odpowiedniej temperaturze, strzegąc panią w ten sposób przed okropną niespodzianką dziecka meteka, smutnej przyszłości pomieszanego i zanieczyszczonego genu – nasza inicjatywa została ukoronowana sukcesem, który naprawdę zaskoczył nawet nas samych, i obecnie zdecydowana większość matek korzysta z naszych usług zamiast wystawiać się na trudy i niebezpieczeństwa uciążliwej i zbędnej kopulacji

według sprawozdań sporządzonych przez naszych socjologów i urbanistów istnieje tajemnicza, ale udowodniona korelacja pomiędzy samobójstwem i przemocą na zewnątrz, na ulicach – jej gwałtowny przyrost przełoży się na równie spektakularną recesję, jeśli chodzi o liczbę osób, które targają się na własne życie z sukcesem – odwrotnie, im wyższa jest liczba samobójców, tym mniejsza jest liczba przestępstw i krwawych zbrodni, które zapełniają strony poświęcone wydarzeniom w naszych goniących za sensacją magazynach i gazetach – subtelny związek, który, tak samo jak w zasadzie naczyń połączonych, utrzymuje globalną sumę ofiar na poziomie średnim, praktycznie niezmiennym odkrycie o kapitalnym znaczeniu, z którego nasze demokratycznie wybrane władze miejskie starają się czerpać, co logiczne, jak najwyższe korzyści – wszak gdyby prasa i grupy opozycyjne mogły jej zarzucić, w oparciu o fakty, okropny procent przestępstw, agresywnych zachowań i napadów, które w społeczeństwach mniej przewidujących niż nasze nieustannie grożą życiu obywateli, komu przyszłaby do głowy myśl pociągać ich do odpowiedzialności, skoro chodzi, tak jak dzisiaj, o zwykłych i niepodważalnych samobójców? – dlatego, odpowiednio wspierani radą przez grupę psychologów i ekspertów od *public relations*, przedsięwzięliśmy dyskretną i skuteczną kampanię mającą na celu podsycenie wśród mas idei o szlachetności i godności gestu tych ludzi, którzy dobrowolnie postanawiają położyć kres swojemu życiu – od projekcji filmów i spotów reklamowych, w których dobrowolna śmierć jest odmalowana w przyjemnym tonie, niemal radosnym, aż do wszechobecnych ogłoszeń, rzeczywiście obsesyjnych tabletek nasennych o bezbolesnym i łatwym użyciu – nie zapominając o przedsiębiorstwie telefonicznym świadczącym pomoc dla nieprzystosowanych, alkoholików, desperatów – nagrana wiadomość, czytana ciepłym i przekonującym głosem kobiecym – podstawowe rady powtarzane w regularnych odstępach w różnych językach – proszę bezsensownie nie przedłużać swojego cierpienia! – proszę przestać być ciężarem dla przyjaciół i rodziny! – proszę dobrowolnie skończyć ze swą nieznośną samotnością! – proszę raz na zawsze przerwać zaklęty krąg swego przygnębienia! – pańskie zniknięcie nie musi być tak nieprzyjemne, jak się panu wydaje! – przy odrobinie fantazji z pańskiej strony może nawet stać się dla pana eleganckie! – następnie można podać kompletną listę preparatów dostępnych w naszych głównych magazynach i aptekach – dzwoniącym słuchaczom przekazać bratersko sposoby ich użycia – jeden, dwa, trzy tuziny pigułek w zwykłej szklaneczce wody i dodać kilka kropel whisky, aby poprawić smak – albo, dla dusz skłonnych do uniesień i czystych, nieuleczalnie romantycznych, bąbelki kieliszka szampana i dźwiękowy podkład z urywkami Wagnera, Chopina i Rachmaninowa – a w końcu przekonać wahających się lekturą wybranych fragmentów Seneki albo jakiegoś innego słynnego paradygmatu – dobrowolna epidemia śmierci, która ostatnio smaga miasto, całkowicie wymazała z naszego horyzontu przemoc i założyła tłumik na szyderczą kampanię malkontentów i wiecznych opozycjonistów w kwestii energii i przemyślności naszego zapobiegliwego zarządzania

nie można także zaprzeczyć istnieniu kilku plam na obrazie – osamotnionych ośrodków, krnąbrnych, niezdolnych do przyswojenia założeń i skorzystania z zalet naszego niezrównanego ustroju konsumistycznego – rozmyślnie na uboczu wielkiego wichru zmian – komuny o nieokreślonym pochodzeniu, zawzięcie uczepione anachronicznych form życia i wiecznie wyprzedzanych

przez szybkie tempo postępu – grupy pasożytnicze, odpadki metabolizmu społecznego, których żałosne nie-
przystosowanie do społeczeństwa dobrobytu przekształ-
ca czasem, bezczelnie i jednoznacznie, w kłamliwy gest
odrzucenia

te ponure indywidua, ukryte w swych norach, PB News
sfilmowała dla państwa we wnętrznościach naszego
miasta, sto metrów pod ziemią, w swym sensacyjnym
programie Wyprawa do Wnętrza Ziemi! – nieokrzesana,
ale wytrzymała społeczność kretów, które, dalekie od naszych pryncypiów pracowitości i zysku, wytworzyły
w nieustającej ciemności katakumb atawistyczną strukturę społeczną, ahistoryczną, ponadczasową, w której
cykl słoneczny, podstawa kalendarzy wszystkich znanych cywilizacji aż do tej pory, nie odgrywa żadnej roli!
– nasi troglodyci wolą mrok od światła, brud od czystości, gryzonia od człowieka, opcja to trudna do zrozumienia, panie i panowie, ale specjalna ekipa PB News, złożo-
na z Joego Browna i Bena Hughesa, postara się znaleźć
wiarygodne wyjaśnienie dla tej sprawy dzisiejszego wie-
czora punktualnie o dziewiątej przy pomocy samych
zainteresowanych!

Heloiza i Abelard

prawdziwy *scoop* – życie pod ziemią – ktoś ich o tym poinformował, nie wiem, czy Bob, czy szwagier Boba, prze-
chodził przez Business District nad ranem i zobaczył,
jak z dołu ktoś unosi metalową pokrywę kanału, bardzo
ostrożnie, wyjaśnił, żeby nie zostać przyłapanym, a on na
początku myślał, że mu się przywidziało, i zatrzymał samochód na rogu, zgasił światła, upewnił się, że pokrywa
w dalszym ciągu jest uniesiona, powoli wyłoniła się głowa, rzuciła badawcze spojrzenie i, stwierdziwszy, że oko-
lica jest pusta, przesunęła pokrywę na bok, weszła po
ostatnich stopniach, gwizdnęła jakby mówiąc droga wolna chłopaki i pojawiło się ich jeszcze pięciu czy sześciu,
wszyscy wyglądali tak samo jak ten pierwszy, grupa pija-
ków albo żebraków, opuszczali sekretnie swoje legowisko, żeby poszukać pożywienia, poszperać w śmietni-
kach, zanim przejedzie śmieciarka, zebrać dość funduszy
na kilka litrów lichego wina albo taniego bimbru, niczym nocne hieny czatujące na sposobność grabieży, coś
nieprawdopodobnego, przysięgam ci, i każdej nocy dzia-
ło się to samo, on dokładnie znał to miejsce, wy, którzy
pracujecie dla PB News, powinniście pójść tam z nim, to
wam pokaże tę dziurę, drobna podróż poprzez kanały,

w których żyją ukryci, a jeśli dacie im trochę forsy, może zgodzą się na wywiad, wyobrażasz sobie tytuł wydania? Nowi Troglodyci, Pod Golden Triangle albo jeszcze lepiej Dzień w Piekle, nie, to by brzmiało zbyt uczenie, radiosłuchacze nie zrozumieją, dlaczego nie coś bardziej szokującego, spektakularnego w rodzaju Bebechy Naszego Miasta, powiedz Joe, co o tym sądzisz? a on, ty zawsze zaczynasz dom od dachu, zachowaj tytuły na potem, najpierw trzeba znaleźć ich wejście do kanałów, zabrać ze sobą dobry przenośny sprzęt, idź zaraz pogadać z Eddym i niech ci da, co tam ma najlepszego, niech nas nie wkurza jak poprzednim razem tym swoim cholernym sknerstwem, chcę coś lepszego w doskonałym stanie no na co czekasz? i to na dzisiejszą noc gogusiu, słuchaj jestem umówiony z jedną przyjaciółką, patrzcie go już se robisz jaja jak nie chcesz iść to nie idź i spokój, kurwa nie wkurzaj się po cholerę ten cały pośpiech? ten facet gada jak najęty, a ponieważ opowiedział to Bobowi, opowie też innym, nie widzisz, że to jest niesamowita informacja i jakiś skurwysyn może nas wyprzedzić? sam szef powiedział niedawno, brak mi tu inicjatyw i pomysłów, albo odkryjecie jakieś nowe tematy, albo wylądujecie na ulicy, to nie jest towarzystwo dobroczynne tylko interes, a interes musi przynosić zyski, czy to jest jasne? tak więc ruszcie panowie tyłki i przynieście mi coś świeżego albo sami zobaczycie cholera, to jest moje ostatnie ostrzeżenie, właśnie tak stary, dokładnie w tych samych słowach, które ci teraz powiedziałem, tak więc nie pierdol mi tu o przyjaciółkach stary, jeśli nie polecimy za zającem, nigdy go nie przyskrzynimy, to jest wielka okazja kapujesz? dobra, dobra, w porządku, odwołam spotkanie, idę z tobą, zaraz zajmę się materiałem, potrzebujemy czegoś lekkiego, liny, plecaki, latarki, jakbyśmy byli speleologami, rozumiesz? tak, jasne, ale co się dzieje, coś ci jest? tak, Ben, tytuł, pierdolony tytuł, już mam, coś genialnego, jak telewizyjny program dla dzieci, czaisz? jaki program? ty to jesteś tępy stary, nie ma ani jednego bachora, który by go nie oglądał, ten Juliusza Verne'a, palancie, Wyprawa do Wnętrza Ziemi.

czekać na zmrok, żeby podnieść pokrywę z największą ostrożnością, jakiej wymaga sytuacja – pionowa studnia jakiejś galerii z metalowymi stopniami wbitymi w okładzinę, jak schody ewakuacyjne w dawnych budynkach – wejść w nią ze sprzętem dźwiękowym na plecach, ubrani w kombinezony i buty kanalarza, po zbadaniu trasy kieszonkowymi latarkami – ułożyć pokrywę z powrotem nad głowami i zaraz potem rozpocząć ostrożne schodzenie w kierunku czarnego koryta, gdzie chroni się społeczność
już doszedłeś, Ben?
nie, jeszcze trochę
co tam jest na dole?
nie bój się, kochanie, jestem tu z tobą
zawsze sobie robisz jaja
cholera, myśl o sukcesie, będziemy sławni!
ja tylko zapytałem, czy doszedłeś już do dna
już dotykam, stary, popatrz jakie to proste!
puścić w ruch kasetę, upewnić się co do dobrego działania mikrofonu, przed odezwaniem się odchrząknąć, sprawdzić dźwięk

jeden dwa trzy cztery pięć, kto ostatni przychodzi jebał
go pies, he he, zobaczymy, czy się nagrało
tak, bardzo dobrze
a gdybyś stał spokojnie, kiedy mówię, zamiast się drapać
po jajach, byłoby lepiej słychać
dobra, cicho
> raz dwa trzy, Wyprawa do Wnętrza Ziemi, W Ka-
> takumbach Naszego Miasta, wyłącznie w PB
> News, Niedyskretny Mikrofon, Program Drugi!

szeroki korytarz o gwałtownym spadku, uciekające
szczury, szmer wody, tajemnicze skróty wypisane na mu-
rach, ewidentne ślady ludzkiego zbiorowiska – zapałki,
opróżnione butelki po winie, papierowe torby z jakiegoś
sklepu z alkoholem, egzemplarz lokalnego dziennika
z dzisiejszą datą, zgnieciona puszka po piwie – światło
latarki brutalnie rozprasza szczurze synody – zardzewiałe rury biegną wzdłuż galerii i dymią gdzieniegdzie
zupełnie jak kominy
widziałeś, Ben, do czego mogą służyć?
ogólne ogrzewanie, młody, nie zauważyłeś, jaka tu panu-
je temperatura? ci ludzie żyją zakopani z tych samych powodów co jaskiniowcy z czwartorzędu, uniknąć chłodu,
żeby przetrwać i nie musieć opłacać rachunków właści-
cielowi!
dotrzeć do końca korytarza, wyjść na chodnik obszerne-
go kanału, iść po nim przez kilkaset metrów, natrafić
nagle na wonną kaskadę, zmienić poziom, wejść po krótkiej drabince, znaleźć następny chodnik, kontynuować
wycieczkę na krawędzi kłoaki
> panie i panowie, wszyscy radiosłuchacze, Joe
> Brown i Ben Hughes z ekipy PB News, w progra-

mie nakręconym w podziemiach Business District, Wyprawa do Wnętrza Ziemi!

we wnętrzu tego miasta, pogrzebanego przez rozpaloną lawę nowego Wezuwiusza, labirynt schodów, przejść, ścieków, kloak stał się miejscem wybranym dla grupy naszych współobywateli, rozczarowanych światem, w którym żyjemy, z powodów, jakie oni sami nam wyłożą podczas tego sensacyjnego programu, zdecydowała się ona znaleźć schronienie w królestwie bezkresnej nocy, pośród odpadków i odchodów, jakie codziennie wyrzucamy, za jedyną kompanię mając tysiące tysięcy gryzoni, które zaskoczone wizytą ekipy PB News złożoną ze mnie i mojego kolegi Joego Browna, czmychają przerażone we wszystkich kierunkach, czy nie tak, Joe?

właśnie tak, Ben, obrazek ten mógłby pozwolić naruszyć prestiż potężnego przemysłu szczurobójczego!

nasi troglodyci woleli mrok od światła, brud od czystości, gryzonia od człowieka, opcja to trudna do zrozumienia, panie i panowie, ale specjalna ekipa PB News postara się znaleźć wiarygodne wyjaśnienie tej sprawy, pytając o nią samych zainteresowanych

mit jaskini, powrót do stanu embrionalnego, no i co, Ben, co sądzisz o zaproszeniu pana Freuda?

tak, panie i panowie, mój przyjaciel Joe ma rację, nasze znalezisko z pewnością zachwyciłoby znakomitego Edmunda Freuda, gdyby sam nie zmarł przed wieloma już laty, powrót do stanu płodowego w połączeniu z nieświadomym przyciąganiem szamba! te i wiele innych rewelacji otrzymacie państwo, jeśli tej nocy będziecie śledzić Joego Browna i Bena Hughesa, ze specjalnej ekipy PB News w mrożącej krew w żyłach Wyprawie do Wnętrza Ziemi!

wyłączyłeś, Ben?

tak

dobra, to pozwól sobie powiedzieć, że z książek Freuda nie czytałeś nawet okładek, w przeciwnym razie wiedziałbyś, że nazywał się Sigmund, a nie Edmund!

Sigmund czy Edmund daj mi teraz spokój z bzdetami, chodzi o rozerwanie wielkiej publiczności, kochanie, to nie jest Piątkowy Magazyn Kulturalny!

i jeszcze iść po chodniku przy akompaniamencie plusku bocznych kanałów wpadających do kloaki, pracowicie poszukując śladów, które doprowadziłyby ich do troglodytów, nie odkrywając niczego innego ponad nowe rury, kolektory, przejścia, chmary szczurów

słuchaj ty, nie da się tego wytrzymać, dlaczego nie zabraliśmy ze sobą jakichś masek?

zamknij się, cukiereczku, a jak cię swędzi, to się podrap, przyszliśmy tutaj do roboty, a nie żeby wąchać jaśminy, kapujesz?

jak myślę o tej randce, którą miałem u góry

no to następnym razem przyprowadzisz swoją księżniczkę i zostawisz mnie w spokoju, kto wie, czy przypadkiem widok szczurów jej nie kręci, znałem taką, co od samego patrzenia na nie dostawała orgazmu!

żarty, zwierzenia, obelgi, wybuchy wściekłości – stopniowo pogrążają się w mrokach, ciemności, ciszy, wrażeniu zamknięcia – gmatwanina rur, kotłów, korytarzy, pułapek – chodnik ciągnący się w nieskończoność – ich samotność górników uwięzionych pod ziemią z dala od wyjścia

odkryć z radością dowody na istnienie życia embrionalnej społeczności porzucone w pośpiechu – niedopałki, puszki, legowiska z worków i kartonów, dymiące kozy – garnek na wpół ugotowanej zupy! – jak świeżo zwinięty obóz indiański

popatrz, Joe, odeszli dosłownie przed chwilą!

pewnie zobaczyli światło, pomyśleli, że jesteśmy dwoma glinami

tak myślisz?

jeśli nie, to dlaczego by uciekali? słuchaj, podłącz mi mikrofon, powciskam trochę kitu, gotowe? już!

po niesamowitym spacerze po naszej ogromnej sieci kanałów, eskortowani przez wierny orszak szczurów o pokaźnych rozmiarach i spowici smrodem, który doprowadziłby do omdlenia znakomitą część naszych kochanych radiosłuchaczy, ekipa w składzie Joe Brown i Ben Hughes z PB News natrafiła na pierwsze schronienie troglodytów we wnętrznościach naszego miasta, i to dokładnie pod Equibank i Midtown Towers! latarka mojego kolegi stopniowo odkrywa, panie i panowie, pół tuzina spłaszczonych kartonów, które służą za legowisko, i worków używanych jako poduszki, kilka butelek po winie, jedną dwie trzy cztery puszki piwa, harcerską finkę, łyżkę bez rączki oraz, niepodważalny dowód ich bliskiej obecności, puszkę zupy Campbella, która jeszcze paruje na ogniu, słoik czego, Joe?

pasty z krabów!

słoik pasty z krabów, panie i panowie, niesamowity sukces, zdumiewający sukces słynnej firmy Campbell, której oszałamiająca ekspansja nie zna przeszkód i sięga, co mogliśmy sami zobaczyć, do tych dantejskich okolic! czy coś jeszcze, Joe?

pojemnik z wodą spływającą z rur ogrzewania, pojemnik pełen, zaraz zobaczę, ostrożnie wsadzam rękę, żeby się nie poparzyć, nie, nie parzy, jest letnia, pełen, pełen, pełen, brudnych ubrań! koszule, dwie koszule, majtki, nawet spodnie! to coś jak miejska pralnia z dwoma pudełkami Tide, nawet szczotka do szorowania co bardziej opornych plam!

to fantastyczne, Joe, naprawdę fantastyczne, ekipa PB News, sto metrów pod ziemią, w swoim programie Wyprawa do Wnętrza Ziemi odkryła dla państwa, u stóp Oliver, Bigelow i Mellon Square, prymitywną, ale kwitnącą społeczność naszych rodaków, którzy dobrowolnie, poza nawiasem naszych filozoficznych pryncypiów dochodu i postępu, odtwarzają w wiecznych ciemnościach katakumb atawistyczną strukturę społeczną, ahistoryczną, ponadczasową, w której cykl słoneczny, podstawa kalendarzy wszystkich znanych cywilizacji aż do tej pory, nie odgrywa, i to jest nieprawdopodobne, żadnej roli, czy coś mówiłeś, Joe?

tak, Ben, patrz za światłem mojej latarki, cegła, kostka brukowa, drewniana deska to prymitywny prasowacz używany przez troglodytów po wybieleniu bielizny i oto masz tego dowody, bardzo stare spodnie żołnierskie, solidnie połatane, ale sztywne, bez zmarszczek, z doskonałym kantem!

powód to do głębokiej refleksji, drodzy radiosłuchacze, odnaleźć potrzebę czystości w nieprzeniknionej czerni tych miejsc, coś emocjonującego niczym promień światła, nadzieja i czułość, która nam okazuje, że mimo najwyższych nieszczęść i osobistych tragedii, które mogły ich skłonić do podjęcia smutnej decyzji pogrzebania siebie samych za życia, nasi bracia z kanałów przechowali mdłe wspomnienie, może niewypowiedzianą tęsknotę za swymi dawnymi zwyczajami, kiedy przeżywali dramaty i piękno istnienia takie samo, jak my, a tutaj chciałbym wam opowiedzieć prostą anegdotę, bardzo ludzką, bardzo intymną o reportażu, który zrobiłem wiele lat temu w getcie Bronksu, ale widzę, że mój kolega daje mi znaki, abym zamilkł, z pewnością odnalazł jakiś ważny trop i czuję się zmuszony zostawić ją na potem, panie i panowie, ciągle słuchający Joego Browna i Bena Hughesa z Drugiego Programu PB News, do usłyszenia za kilka chwil!

to była ona, to ja, czy to ty, spóźniałaś się, spalałem się
z niecierpliwości z tymi wariatami – zawsze ubrana
w swoje najlepsze stroje – poetycka tunika w kwiaty, niekonwencjonalnie *décolleté*, szeroka spódnica z trenami
– albo kombinacja modelu Icare z *crêpé* polyester i Etincelle, z welonem przymarszczonym w koronę, wspaniale
haftowanym – w każdym razie pieściła welon z tiulu, nie
słuchając szeptów dezaprobaty, przytłumionych komentarzy, zduszonych śmieszków – narzucających się przez
niezwykłość samej jej obecności – nie do zranienia dzięki
rytualnej kąpieli w styksowych wodach – subtelnie spowita drobną semantyczną aureolą – utorować sobie drogę poprzez kanały z wielkanocną gromnicą w garści –
duch zjawa święty obraz – poprzedzona, oskrzydlona,
śledzona przez mnożący się dwór cudów – szczury, myszy, myszki przyciągane przez ruchomy pęcherz światła,
nieodparcie przyciągane przez twe lunatyczne piękno –
bezwiednie parodiowałaś miny i gesty wszechmocnej
naczelniczki Sekretariatu w swych krótkich i kapryśnych
lewitacjach na oczach młodych pasterzy w terenach
górskich i wiejskich, niedostatecznie wykształconych –
te seraficzne pozy, świeżo po wyjściu od fryzjera i z dokładnie dopasowaną aureolą-diademem Cartier, zanim
popadnie w swój zwykły kryzys histerii i agresji i będzie
wymagać nowych aktów uwielbienia dziewicy, będzie pozwalać sobie, aby schlebiali jej faworyci i szpicle –
w końcu Madonna, królowa i pani kloak – przyciągnięta
przez twój dziki magnes, dumnie zniewolona twą nieog-
raniczoną pełnią – prowadzi cię kwiecista różdżka, połączą się wasze walory, wytryśnie radośnie elektryczny łuk
– samotność będzie sprzyjać naszej idylli, heraldyczne

myszy będą waszymi świadkami, usłużnie wprowadzą ją w surowość łoża nowożeńców – wiem, że jesteś rozpalony tak jak ja – pamiętasz mnie taką, jaką mnie zobaczyłeś po raz pierwszy, w jakichś zagubionych koszarach Maghrebu, już wiele lat temu – wtedy byłam ładna i niczego nie wiedziałam, włóczyłam się po świecie bez celu ani ideału, lecz to, co utraciłam z niewinności i niedojrzałości, podczas twojej nieobecności uzupełniłam diaboliczną zręcznością staruszki – twoje smakowite miody mnie wzmocnią, odbudują moją utraconą młodość jak plazma tych nieuważnych panienek, którą mądry uczony wstrzykiwał swej nieszczęsnej kasztelance – *ah, comme elle est jeune! – patiente un peu, chéri, je vais lui tirer tout son sang!* – cóż za podniecający film! – obejrzeliśmy go w osiedlowym kinie, nie pamiętam, czy w Wadżda czy w Oranie, byliśmy w ostatnim rzędzie foteli i ty, gdy tylko usiadłeś, rozpiąłeś spodnie, pokazałeś go jej, trzymając oburącz, zmusiłeś ją do dotykania go, chciał, żebym go całego włożyła sobie do ust, niemożliwe, dusiłam się, nie byłam jeszcze doświadczoną połykaczką szabli, nie przećwiczyłam technik oddychania, nie potrafiłam w odpowiedni sposób rozluźnić mięśni gardła, obraziłeś się na mnie, położyłeś mi gazetę na głowie, żeby nas nie widziano, i łuskałeś słonecznik tak spokojnie, pozwalając jej się mitrężyć, krztusiłaś się, kilka razy sądziłam, że się uduszę, ale dopiąłeś swego, hultaju, obficie zrosiłeś moje gardło, a kiedy złożył gazetę i ona została wypuszczona, miała załzawione oczy, pociągała nosem, i była szczęśliwa, przysięgam ci, w życiu nie widziałam czegoś podobnego, i postanowiłaś się nauczyć, doktoryzować się, ćwiczyć swoje struny głosowe niczym szalona

chórzystka, poddać się surowej dyscyplinie w przedmio-
cie gardeł, umówiliśmy się w następną sobotę i przez cały
tydzień uprawiałam jogę, twoja surowica mnie wzmocni-
ła, to była kąpiel Zygfryda, rozentuzjazmowana udała się
do kina, chciałaś pochwalić się postępami, twoimi nowymi i wspaniałymi umiejętnościamii, a ty nie przyje-
chałeś, kretynie, czekałam, czekała przez cały wieczór
przepełniona straszliwymi myślami, poszłaś do koszar,
zapytałam o ciebie, nikt nie potrafił powiedzieć, gdzie
przebywasz, spróbowałaś więc jeszcze kilka razy, szła do
kina Mabruka jak do wotywnego ołtarza katedry, naprawdę się rozpłynąłeś, wszystko wyglądało jak sen

rozpoznać, z wdzięcznym uczuciem ulgi, proste, bliskie
przedmioty z twoich apartamentów – znaleźć się między
nimi, ukołysany dyskretnym szumem strumienia wypływającego łagodnie przez złącza rur – miarowo pieścić
twoje ruchome dobra – przejść do równego podziału
dóbr i delektować się obserwowaniem pracy siekaczy –
ułożyć się w ciepłej wygodzie posłania, otoczony ich
względami i galanterią – pozwolić im swobodnie biegać
po swoim ciele, wedle uznania obwąchiwać członki – stopy, głowę, ręce, naturalne wybrzuszenie organu, będącego mimowolnym powodem paniki, zazdrości, zdumienia – nocny, ciemnolubny, klaustrofil, kryptopata –
szczęśliwe czterdzieści piędzi pod ziemią – przez lata i lata szkolenia się odludka – oddzielony od robotników
giaurów od chwili wstąpienia do przedsiębiorstwa kopal-
nianego – a priori oddzielony od wszelkiego kontaktu ze
światem zewnętrznym – magazyny, hałdy, umywalnie,

wentylatory dla nich – *toi viens ici, le bicot! – tu as la chance de ne pas te salir, tu es encore plus noir que le charbon!* – zjechać na dno szybu w klatce wydobywczej, spotkać się z pozostałymi towarzyszami niedoli w szybach – ogłuszeni hałasem wagoników, pracą wind, frenetycznym wbijaniem stempli – wyposażony w kask, oskard, latarkę, wiertarkę pneumatyczną, prymitywne i bezużyteczne urządzenie alarmujące – niewiedzący, że nikt nie może uniknąć przeznaczenia, że ostatnia godzina została ustalona na samym początku! – wcisnąć się przez dziurę, iść na czworaka, pracować zgarbiony, zazdrościć zwinności i zręczności podziemnym gatunkom – pomyliłem się, oszukali ciebie – oto był ten raj opisywany w centrach rekrutacji, praca wolna i dobrze płatna w promieniującym kulturą centrum? – zgarbiony, musiałem wydobywać wiele cetnarów metrycznych węgla, z pyłem i żużlem uparcie przylegającymi do ciała mimo gąbki, mydła, oczyszczającego uderzenia prysznica! – *pas la peine de frotter ta gueule de bougnoul, tu resteras toujours aussi sale!* – z jednej kopalni do drugiej, wieczne pogrzebanie – mrówka, gąsienica, ssak kopiący – bez możliwości żałosnej ucieczki niedzielnej tak jak pozostali metekowie – nieodmiennie rozsiewający pogardę i współczucie, gdy przechodzi – widziałaś, mamo? – Mój Boże, nie patrz! – to niemożliwe! – żabko, nie widzisz, że naprzykrzasz się temu panu? – przestaniesz rozdziawiać gębę jak jakaś idiotka? – co on ma na twarzy? – cicho, stul dziób! – idzie jak automat! – myślisz, że jest wariatem? – nie gadaj tak głośno, jeszcze się do ciebie przyczepi! – scena powtarzana, gdy tylko wychodzisz na światło, aktor mimo woli w filmowym dreszczowcu – zmusić do ustąpienia z drogi tych, którzy idą z przeciwka, przyglądają mi się zdumieni, kiedy mnie mijają, i odwracają głowy z odrazą i niepokojem wymalowanym na twarzach – iść naprzód, nie zwracając na nich uwagi, ale wiedząc, że na ciebie patrzą – wrażenie bólu, które przebiega moje plecy i nagle zdaje się wybuchać na karku – w udręczeniu pragnąc anonimowości, schronić się w kinie, skończyć tęskniąc za kojącym mrokiem kopalni – wśliznąć się przez szparę z latarką i narzędziami pracy, a kiedy się znajduję poza zasięgiem brygadzisty, szczęśliwie wolny od rozkazów i porad, przygotować sobie tymczasowe łoże w mysiej dziurze, zgasić światło, odpocząć, rozwiać się, marzyć spokojnie z otwartymi oczyma – godziny szczęścia zanurzonego w czerni ziemi, obojętny na daleki warkot maszyn w szybie – żałując jedynie, wspominając, że inteligentne i miłe gryzonie, być może aby dostąpić przebaczenia za ich żarłoczne upodobania do chrząstek małżowiny, nie przybyły tak jak teraz, by dotrzymać mu towarzystwa – wydmy, palmy, wędrowne stada, dziewczynka o oczach gazeli, z którą któregoś dnia powinieneś się ożenić – śpiew, muzyka, zaproszenia, prezenty, trzy dni zamknięty w namiocie z panną, chusteczka zanurzona we krwi z defloracji, radosne *yuyús* kobiet, kochać ją, kochać się bez ustanku, dopóki będzie trwało przyjęcie – *uasz ka-iddurek biz-zaf?* – a ona, malutka – *la, ghir szi szuja, rtah hdaja, bghit nnaas maak, ana ferhana!* – dopóki pociągnięcie liny mną nie wstrząśnie, brutalnie wyrzuci cię z edenu, zmusza go do wyjścia ze słodkiej drzemki – ej, co ty tu kurwa robisz? – przyszedłeś tu spać czy pracować jak należy? – a ja – nie, szefie, układam materiał w rogu, to cholerna skała, jeszcze trzeba

walić oskardem, żeby użyć wiertarki – pozornie się pod-
porządkować, naśladować wygładzony dyskurs idealnego niewolnika, udawać identyfikację własnych pragnień
z odległymi interesami eurobrudu – a po przejściu ule-
wy, gdy oddala się brygadzista, ponownie się położyć,
odszukać szczęście w ciemności, powrócić do rozkoszy –
rozluźnić się, wyciągnąć się, podniecić dojrzałe ciało
dziewczynki, ostudzić jej niepokoje co do wielkości
członka, utrzymywać go w ukryciu, żeby się nie przestra-
szyła, starannie nasmarować jej ogolone krocze, wlać oli-
wę w piękną szczelinę jej waginy, potajemnie nasmarować własny instrument – położyć się w ubraniu obok
niej, stopniowo wprowadzać czubek w półotwartą szpar-
kę, wymazać jej gesty i grymasy niepokoju żarliwymi po-
całunkami, zlizywać z nieskończoną miłością jej słone
łzy, napierać ostrożnie niczym lekarz operujący bez znieczulenia, zagłębiać, poszerzać, wpychać go coraz bardziej
– ej, ty, Uszaty, znowu śpisz? – właśnie zgasła mi latarka,
szefie, szukałem baterii na wymianę – skręcając zręcz-
nymi palcami aromatycznego papierosa z trawy, która
zwykle umila mu bezsenność – gotowy wykorzystać do
cna, bez żadnych ograniczeń, drobne przyjemności, jakie
ofiarowuje życie – przedmiot usłużnej celebracji gryzoni
zebranych wokół charyzmatycznego fallusa – pieszczoty,
przymilność, czułości pełne sprawnej zawziętości czy-
nione malutkimi i szorstkimi języczkami – ukołysany
refleksyjnym szmerem wód, rozgrzany emanacją uczyn-
nego systemu rur, rozsmakowując się w swej własnej
i niezbywalnej części szczęścia – przyglądać się w ekstazie
ich powtarzającego się deptania świetlistemu pęcherzo-

wi, który zbliża się w ciszy poprzez galerię – subtelna, ete-
ryczna, zjawiskowa, promienna, zachwycająca – postać
skromnie odziana, spowita tiulami niczym panna młoda
– przedmiot hołdów tuzinów szczurów, eskortujących jej
wędrówkę wzdłuż brzegu wody i zdających się całować
jej satynowe pantofelki, jak gdyby oddawały jej naturalną cześć – całe światło i piękno świata skupione w obliczu, które wydaje mu się białe i delikatne, skromnie skryte pod gazą welonu – smukłe i zwinne ciało dziewczyny,
wąska talia, zaokrąglone biodra, wiosenne piersi, delikatne ręce, stopy rozkosznie malutkie – coraz bliżej ciebie,
z wielkanocną gromnicą w ręku, jakby przyszła odwie-
dzić Mulaj Brahima, błagać go o łaskę bogatego i zgrab-
nego męża, obdarzonego mądrością, dobrym sercem,
szczodrością i szlachetnością uczuć – władczyni licznego
szczurzego dworu, majestatyczna i ekstatyczna niczym
zjawa, niecierpliwie pożerająca cię oczyma, zanim upad-
nie ci do kolan niczym królowa w akcie koronacji, całkowicie przepełniona wielkością i uroczystością chwili

podejdź, kochanie, pozwól na siebie spojrzeć, twoja
obecność olśniewa, nadal jesteś młody i silny, Pan cię
chroni, nie zmieniasz się, nie zmieniłeś się, podejdź tu,
cierpiałam bez ciebie, poszukiwałam ciebie rozpaczliwie
za dnia i w nocy, przysuń się jeszcze, pozwól, że cię do-
tknę, przypuszczam, że ci staje, masz sztywne berło, swój
kij pielgrzyma, moją krzepką laskę marszałkowską, chcę
ją wymodelować i wygładzić, raz na zawsze uleczyć moją
gorączkę, unieść jego smakowity miód do ust, chodź
wetknij go, wbij mi żądło, siłą wsadź mi swój trzonek,

kochajmy się jak szaleni, ciemność jest naszym domem, zgaś światło, które mnie do ciebie doprowadziło, noc, samotność, szczury nam wystarczą, jestem skromna, nie chcę, żebyś na mnie patrzył, twój pień jest wspaniały, przyjmę go aż do końca, chcę, żeby korzystał ze swych przywilejów na dnie mojego gardła, ściągnę kwef, welon z tiulu, perukę, moje zadanie wymaga dyscypliny, wygody i przestronności, głębokich zdolności koncentracji, atrybuty takie jak twoje nie są w zasięgu ręki byle kogo, żadna nowicjuszka nie dałaby mu rady, zaraz by zawiodła, porzuciłaby go w środku próby, podrapała go siekaczami i kłami, zakrztusiła się, parskałaby jak osaczona wielorybica, zęby przeszkadzają, a ja mogę wkładać je i wyciągać do woli, odkładać je do futerału, działać bez przeszkód, przychylnie wspomagana języczkami gryzoni, rywalizować z nimi w podrażnianiu cię i budzeniu twojej sztywności aż do apoteozy, bogobojna, oddana, szczęśliwa, zdumiona i podniecona, rozogniona pragnieniem chwały dokonania w końcu znakomitego wyczynu, powoli skraść twoje godło, wbić twoją niesamowitą pikę, tak mój kochany, nie ruszaj się, nie zwracaj uwagi na światła ani na hałasy, to pewnie kanalarze albo żebracy, może przyszli łapać myszy, zbadać stan kloak, twoich dwadzieścia sześć centymetrów we mnie, to tak jakby mój organizm zwiększył swoje możliwości, nie wylewaj swego likworu, wytrzymaj kilka sekund, chcę go smakować, odmłodnieć, być jak kochanka Drakuli albo biednego doktora Frankensteina, z filmu, który obejrzeliśmy w Paryżu w obrzydliwie brudnym i prostackim kinie osiedlowym, pamiętasz, habibi? zeszliśmy do piwnicy i zamknąłeś się ze mną w ubikacji, rozkoszując się przez pięć minut tak jak tutaj, podczas gdy inne wzdychały pod drzwiami zrozpaczone, oszalałe, dosłownie sine z zawiści, ja byłam wyczerpana, ale ty się upierałeś, żeby zrobić to jeszcze raz, barbarzyńca, nie składałeś broni, ogarnięty niewytłumaczalnym pośpiechem, chociaż inne szemrały między sobą pod drzwiami, podglądały nas przez dziurkę od klucza, krzyczały, że idzie policja, a ja czułam się dumna z daru, który przypadł właśnie mnie, dziękowałam niebiosom, prosiłam los, żeby nas nie rozdzielał, pamiętam, że kiedy skończyłeś, wytarłeś swą szpadę o ścianę, nie było wody ani papieru, wyszedłeś przede mną, zostawiłeś mnie na lodzie, nie udawaj teraz, że nie wiesz, o co chodzi, bo wiem, że to byłeś ty, takiej broni jak twoja się nie zapomina, ciągle zajmuje swoje miejsce pośród gąszczu wspomnień, wraz z upływem lat zachowuje swe szamańskie właściwości, twój syrop jest wspaniały, błogosławię medyka, który go przypisał, wychylam go do dna, wylizuję łyżkę, wracam do czasów reglamentacji, twoje biedne myszy pewnie mają ochotę, widzisz to, cwaniaku? też ci nie opada, ciągle uparcie sterczy, dla niego, dla ciebie ściągnę ubranie, model Etincelle z Pronuptia, spódnica z trenami, niekonwencjonalnie *décolleté*, sztuczne gumowe piersi, pragnę użyć go jako siedzenia, pracować łokciami i kolanami, nie ma dziewczyny bardziej giętkiej i elastycznej niż ja, to co się traci wraz z młodością, zyskuje się w *savoir faire* dzięki sile woli i oddaniu, żadna nowicjuszka nie mogłaby ze mną współzawodniczyć, jestem krynicą wiedzy, pajęczycą z mackami, pracowitą, rozkraczoną, zostań tak, jak jesteś, zapomnij o ciekawskich, zazdroszczą nam, nudzi ich domowa papka, nigdy przenigdy nie poznają słodyczy tej melasy, znowu wsadziłeś go aż po rękojeść, *asz hada, d-demm*?, nie wiem, co to jest *demm*, kochany, ale jest tak, jakbyś mnie rozdziewiczył w moim wieku, mam trochę rozbity brzuch, czasem płynie strużka krwi może to zapalenie jelit, wytrę ją chusteczką, zawsze mam pod ręką paczuszkę, widzisz? i już, pozwól, że ją wyrzucę, nie? chcesz, żebym ci ją dała? chcesz ją zachować? dobrze, no to masz! to ci dopiero dziwny kaprys, ach już wiem, nie musisz mi tego mówić, byłam na ślubie w mojej wiosce, to tak, jakbyśmy wzięli ślub, pewnego dnia pokażesz ją rodzinie, całe plemię będzie dumne, będą wiedzieć, że wziąłeś mnie, kiedy jeszcze byłam dziewicą!

znienacka zapaliły się reflektory
fale surowego światła przybywające z różnych stron, poruszenie i krzyki kamerzystów, gardłowe polecenia, emfatyczny dyskurs pary reporterów, którzy, z mikrofonem w garści, zbliżają się do was uśmiechnięci – panie, panowie, widzowie, radiosłuchacze, ekipa składająca się z Joego Browna i Bena Hughesa z *PB News*, czy coś w tym rodzaju – podczas gdy ona, przerażona, porzuca swą kamasutrową pozycję, usiłuje zakryć zrujnowaną nagość, mój Boże, peruka, kwef, gumowy stanik, welon panny młodej! – wyłącznie w *PB News*, Wyprawa do Wnętrza Ziemi, W Bebechach Naszego Miasta ma przyjemność przedstawić państwu niesamowitą parę, która poszukiwała szczęścia z dala od gonitw i szaleństw codziennego życia, oryginalna para, która rozpaliła swe do-

mowe ognisko, tak jak setki tysięcy myszy, w królestwie permanentnej nocy! – pospiesznie dopasować piersi, nie mogąc uniknąć ich przekręcenia się na plecy, włożyć perukę odwrotnie, wciągnąć figi, szybko włożyć, biegnąc, *crêpé polyester*, złapać skórzaną torebkę, w pośpiechu zapomnieć o sztucznych zębach – Murzyn pozostaje w bezruchu, przygląda się zamieszaniu z kamienną twarzą, zdaje się unosić w stanie wyściełanej śpiączki – jego as żołądź utrzymuje doskonale wyprostowaną pozycję, jego ciemna ręka trzyma z niezwykłą pieczołowitością coś, co zdaje się zwyczajną chusteczką higieniczną, i ledwie mruga oczyma, gdy spiker wykrzykuje *my goodness* i podtyka ci pod nos swoją zabawkę – *how do you feel, sir?* – krótkie oświadczenie dla naszych widzów i radiosłuchaczy? – jednak cisza, cisza, puste spojrzenie, przygnębiający brak uszu, pulsujący organ, złowieszczo sterczący, i nagle, ciach, kłapnięcie, ugryzienie, zaczyna energicznie pożerać mikrofon, *hey man, are you crazy?* konsternacja, zmaganie się, piski, wykorzystać zamieszanie, żeby uciec, zniknąć, kołysząc się, niczym oślepiony nocny motyl, bez wielkanocnej gromnicy, welon, buty, sztuczna szczęka, nagle posunięta w latach staruszka, garbata z powodu anormalnego umiejscowienia cycków, ej, proszę pani, proszę pani, proszę nie odchodzić, nasi telewidzowie i radiosłuchacze czekają na panią, kilka prostych słów pozdrowienia, całe miasto wpatruje się w panią, proszę nie zawieść publiczności, która się pani przygląda i panią podziwia, to pani okazja, żeby panią poznano, proszę pomyśleć o milionach widzów, proszę być wobec nich przyjazną, proszę się uśmiechnąć, przynajmniej proszę się uśmiechnąć

Hipoteza dotycząca mieszkańca piekieł

WSZYSCY, WSZYSCY DO KATEDRY WIEDZY!
korzystajmy z nadarzającej się okazji poznania Nauki!
napijmy się z krynicy ludzkiej mądrości!
zgromadźmy się w katedralnym cieniu rzucanym przez
jej hojne powołanie do macierzyństwa!
badacze
socjologowie
dyrektorzy
studenci
zwykli ciekawscy
podniecone matki dzieciom!
z doskwierającym swędzeniem, niecierpliwym łaskotaniem człowieka biorącego udział w *première* wielkiego
spektaklu, pospiesznie upiększają twarz, poprawiają cieniowany półksiężyc tuszu, upewniają się co do krwistej
doskonałości nowej kredki do ust
pospiesz się, kochanie, spóźnimy się, będzie ogromny
tłok, wszyscy tam przyjdą, audytorium będzie za małe, to
informacja dnia!
i od przystanków autobusowych, specjalnie wynajętych
autobusów, przestronnych, niekończących się samocho-

dów o bezszelestnym, rzecznym wyglądzie krokodyli gorliwy tłum rozlewa się wokoło monumentalnego budynku, kłębi się w jego bocznych wejściach, wchodzi po stopniach schodów, wciska się do środka, przepływa pod neogotyckimi sklepieniami, atakuje ostatnie wolne siedzenia w amfiteatrze, na którego scenie, korzystając z chwilowej nieobecności akademickich autorytetów, reporterzy, fotografowie, wielbiciele, studenci szkoły dziennikarstwa kąsają fleszami i pytaniami dowód przestępstwa

ducha, zjawę, potwora przybyłego z tego świata? – w każdym razie poruszające wtargnięcie – oniryczne objawienie – zuchwałe, brutalne wyzwanie

obojętny na przerażającą nowinę swego własnego obrazu – ciemne stopy, bose, nieczułe na srogość pory roku – obdarte, wyświechtane spodnie z zaimprowizowanymi wywietrznikami na poziomie kolan – płaszcz stracha na wróble z kołnierzem podniesionym, aby chronić podwójne wyobcowanie

tymczasem centrala telefoniczna alma mater jest bombardowana rozmowami lokalnymi i międzymiastowymi, prośbami o informacje, propozycjami zatrudnienia, ofertami teatralnego *tournée*, wyłączności na wykorzystanie obrazu w filmach reklamowych, publikacji Wspomnień we wspaniałych wydaniach kieszonkowych

także prywatnych porad, próśb o autografy, zdjęć z dedykacją, wymiany listów, propozycjami przyjaźni, możliwego małżeństwa

mam pięć stóp i trzy cale wzrostu, ważę dwieście pięć funtów, mam niebieskie oczy, jasne włosy, jestem katoliczką, z pochodzenia Litwinką, Ryby, panna, bez rodziny, jestem bardzo zainteresowana pańskim życiem, gustami, projektami, zajęciami, doświadczeniami, chciałabym dostać pańskie zdjęcie i ewentualnie wyślę swoje

pytania bez odpowiedzi, hipotezy albo komentarze ściszonym głosem tłumu, który wypełnia salę i zaczyna okazywać niecierpliwość w oczekiwaniu na grupę uczonych i specjalistów, autoryzowaną opinię, pogląd, wnioski obwieszczone z mocy prawa, sprawiedliwy i nieodwołalny wyrok

skąd pochodzi?

jakim posługuje się językiem?

w jaki sposób tu przybył?

od jak dawna przebywa w katakumbach?

dlaczego wybrał życie pośród szczurów?

szemrzą, pogwizdują, później wybuchają oklaskami, bo myślące mózgi w końcu się pojawiły – poważni, solenni, uroczyści, wyglądający jak sędziowie, wspięli się na podwyższenie i zajęli miejsca przy półkolistym stole, po lewej stronie od fotela, na którym pozostaje fenomen emanując wrażeniem nieobecności, pochłonięty przyglądaniem się pogniecionej chusteczce higienicznej, wykonuje niepowiązane ze sobą gesty, grozi szacownej pięścią

cisza, będą mówić, przewodniczący trzęsie dzwonkiem, wyciąga kartki papieru z kieszeni marynarki, odchrząkuje przed mikrofonem, popija łyk wody, obwieszcza otwarcie sesji, krótko przedstawia każdego ze swych kolegów, siada, powiedziałem, przekazuje głos

z etnologicznego punktu widzenia sprawa jest bardzo prosta, chodzi o postać z plemienia Linghas, pochodzącego z Nigru i dzisiaj rozproszonego po różnych państwach obszaru subsaharyjskiego, jego czaszka, ułożenie kości, krzepkość i długość członków w sposób dokładny zgadza się z tymi, jakie posiada ten jedyny w swoim rodzaju lud, któremu poświęciłem swą pracę doktorską, pół tuzina książek przetłumaczonych na różne języki, jeden film dokumentalny sponsorowany przez Państwową Szkołę Antropologii i setki artykułów oraz recenzji w rozmaitych pismach specjalistycznych, moje pierwsze wrażenie, gdy oglądałem program PB News zostało potwierdzone faktem, że nie posiada on uszu, to znaczy, że je sobie uciął zgodnie z panującą u jego ludu praktyką, wystarczy obejrzeć kilka fragmentów mojego krótkometrażowego filmu, nakręconego podczas świętej ceremonii inicjacji, a zobaczą państwo, że tego rodzaju amputacje są niebywale częste, proszę na przykład zwrócić uwagę na grupę tancerzy, wódz, jego pomocnicy, szaman po lewej stronie, ten, który ma na sobie naszyjnik z nasion, wszyscy oni zostali pozbawieni nosów, jest to oznaka przynależności do arystokracji, samookaleczenia są dokonywane publicznie, pod wpływem narkotyków, i nawet dzieci uczestniczą w tym obrzędzie, oto właśnie obrazy z jednego z nich, radzę osobom wrażliwym, aby nie patrzyły, kandydat, proszę zwrócić uwagę na jego wytrzeszczone oczy, konwulsyjne ruchy, pianę na ustach, wymachuje nożem, którym odejmie sobie, proszę dobrze się przyjrzeć, swoje prawe ucho, ciach, już po wszystkim, jednym cięciem, bez najmniejszego znieczulenia, wygląda to na pozornie bezbolesną operację, wszak, co mogą państwo zobaczyć, choć płynie krew, on dalej tańczy w diabelskim rytmie, wydaje mi się, że te obrazy kończą całą dyskusję, potrafią przekonać nawet największych sceptyków, aby dopełnić dowodów, powiem jeszcze, że męscy przedstawiciele tej etni charakteryzują się, jak to jest w przypadku tego osobnika, którego macie państwo przed sobą, gigantycznymi rozmiarami prawdziwie nieproporcjonalnego członka!

głosy – jak wyjaśnić jego przybycie do naszego miasta? czy może pan się z nim skomunikować w jego języku?

nie, muszę skromnie państwu wyznać, że nie zdołałem tego uczynić, to indywiduum wyraża się tylko poprzez onomatopeje i pochrząkiwanie, oderwany od swoich z powodów, których nie znam – i nie należy do mnie ich roztrząsanie, ponieważ wymykają się naukowej metodologii badań – prawdopodobnie zapomniał swego języka przez lata samotniczego życia, nie mając kontaktu z ludźmi, w świecie odosobnienia i ciemności

ja ze swej strony uważam, nie chcąc przez to obalać znakomitych konkluzji mojego kolegi, że sprawa jego obecności pomiędzy nami, pod asfaltem miasta, które zamieszkujemy, jest absolutnie fundamentalna, wszak jeśli odrzucimy nieprawdopodobną hipotezę, że jakieś odgałęzienie jego plemienia imigrowało kiedyś na nasz kontynent (jak? kiedy? przy użyciu jakich metod?) albo że rzeczony osobnik przepłynął wpław Atlantyk (śmiechy), nie mamy innego wyjścia jak uciec się do metody dedukcyjnej, to znaczy, wyjść od tych niewielu elementów, które mamy do dyspozycji, aby zająć się podstawo-

wymi problemami, jakie przed nami stają, i wyświetlić
w ten sposób niewiadomą, jaką jest jego niewyjaśnialna
obecność

przepraszam, zdaje mi się, że indukcja mogłaby więcej
wyjaśnić!

być może byłaby bardziej pomocna w sferze jego kompe-
tencji językowej, ale w oczywisty sposób nie na polu so-
cjologii!

głos – czy zastosowanie rachunku prawdopodobieństwa
nie mogłoby być użyteczne?

tak, pod warunkiem, rzecz jasna, że czynniki, jakie mamy do dyspozycji, będą potwierdzone, to ta sama przeszko-
da, na którą natrafiają komputery, ich praca będzie
doskonała tylko wtedy, gdy dane i liczby, jakie im poda-
jemy, są wiarygodne, innymi słowy, operacje mogą być
jednocześnie bez zarzutu i błędne w związku z tym, że
opierają się na niepewnych założeniach

sądzę, że oddalamy się od podstawowego tematu debaty,
którym jest, albo powinna być, jak sądzę, sama postać,
skoro jednak tajemnica jej pochodzenia, niejasne okoliczności, w jakich znalazła się w naszych kloakach,
w sposób zrozumiały intrygują naszą, zebraną tu, publiczność, rzeczone kwestie, z drugiej strony trudne do
rozwikłania, zdają mi się w zasadzie drugorzędne w tym,
co się tyczy symbolicznego przykładu, który ucieleśnia
to indywiduum, to przejmowanie się błahostkami, miast
odszyfrować głębokie znaczenie jedynego pewnego
faktu, jaki możemy mu przypisać, odnoszę się tu do jego
decyzji zamieszkania w katakumbach, w całkowitej samotności, gdzie będzie kołysany głuchymi szmerami

brzucha miasta, które, tak jak w przypadku każdego człowieka, odrzuca elementy nieprzyswajalne, wyrzucając je
poprzez przewody połączone z kanałem analnym, gdzie
został odnaleziony, oto kluczowy czynnik tej historii,
a ponieważ nie ma konieczności nużenia słuchaczy jało-
wymi teoriami, skieruję państwa uwagę na symboliczne
znaczenie jego zachowania, ucieczka, po pierwsze, od
świata, aby schronić się w przytulnej, dobrotliwej, kar-
miącej intymności matczynego łona, odrzucenie, w drugim rzędzie, wyalienowanego obrazu samego siebie, który przywraca człowiekowi jakby nienawistną witrynę,
gdzie widzi swe odbicie, przezwyciężając, w przychylnej
mu ciemności, dziecięcą traumę lustra, w końcu reduku-
je słuch, poprzez rzeczywiste i symboliczne pozbycie się
uszu otwartych na hałas, poruszenie, agresję świata,
przystosowując je do przytłumionych odgłosów, uśmierzających, balsamicznych, fazy macicznej, powrót, by
podsumować i zakończyć moje wystąpienie, do wy-
tęsknionego stanu płodu!
głos – interpretacja jest nęcąca, ale nie znajduje
potwierdzenia w rzeczywistości, jedynie badanie psy-
choanalityczne osobnika mogłoby wyjaśnić nam te
sprawy!
zgadzam się w zupełności z tą uwagą, od chwili rozpo-
częcia debaty słyszymy tylko przypuszczenia, niemożliwe do udowodnienia supozycje, pochopne i często bez-
podstawne teorie, aby uniknąć w przyszłości takich
przeszkód i nie popadać w mgliste wywody oraz nie
powodować zamieszania, na które podatne są tego rodzaju sympozja, proponuję porzucić domniemania

160

i symbole na rzecz skupienia się na sprawach, bez wątpienia nudnych, trywialnych, mało atrakcyjnych, lecz
całkowicie naukowych i bardziej odpowiednich dla
wyjaśnienia zagadnienia

niech mi wybaczy mój znamienity kolega przypomnie-
nie mu, że u podstaw nauki, każdego z jej postępów i odkryć, twórczej wizji, leży i odgrywa zasadniczą rolę zmysł
wyobraźni geniuszu!

oczywiście, i żałuję, że źle się wypowiedziałem albo że
moje słowa zostały opacznie zrozumiane, moim celem
było wykazanie państwu, że z racji braku solidnych da-
nych w kwestii ustalenia przeszłości osobnika oraz jego
języka powinniśmy skromnie uciec się do tego, co znamy, i skupić się na jego odzieży, ruchach, gestach, gry-
masach, pochrząkiwaniach, to znaczy, na dokonaniu
skrupulatnego semiologicznego odczytania tychże, i na
próbie, bez żadnego przyzwolenia na diachronię, stop-
niowego ustalenia kodu komunikacyjnego leżącej u jego
podstaw struktury znaczeniowej

mój dobry przyjaciel zdaje się pojmować czynniki
diachroniczne i synchroniczne całkowicie i absolutnie
oddzielnie, trzeba jednak zauważyć, że na tych samych
stronach, które on sam tak bardzo podziwia i z których
źródeł łakomie pije, choć często zapomina je cytować, zaczyna wyłaniać się teoria, według której jego dynamika
operacyjna okazałaby się w rzeczywistości całkowicie
komplementarna, zbieżna!

doskonale o tym wiem, lecz chodzi, co sam pan przyzna-
je, o czystą teorię, hipotezę badań, których efektywność
musi jeszcze zostać dowiedziona

głos – czy informatyka nie miałaby jakiegoś związku z tym, o czym panowie tutaj dyskutują?

tak, oczywiście że tak, to moja specjalność, i zdumiewa mnie, że żaden z obecnych tu moich szacownych kolegów nie uczynił do niej ani jednej aluzji, zawartość informacyjna jednostki komunikacyjnej jest odwrotnie proporcjonalna, jak państwo wiedzą, do swego wskaźnika prawdopodobieństwa, to znaczy, im większy stopień nieprawdopodobieństwa, tym większe bogactwo informacyjne, z czego można wydedukować w prosty sposób, że w takich okolicznościach pojawienie się osobnika o właściwościach tego rodzaju jak ten, który jest przedmiotem obecnego sympozjum, stanowi niesamowite wydarzenie z punktu widzenia informatyki, i aby objaśnić jego idee na ten temat, pozwolę sobie przeczytać państwu krótkie dziełko, opatrzone przychylnym i odrobinę schlebiającym wstępem podziwianego przeze mnie mojego mistrza z uniwersytetu z (jego słowa zostają zagłuszone wściekłym protestem publiczności)

głosy – chwalipięta! przemądrzalec! ta dyskusja niczego nie wnosi! zostawcie teorie i mówcie nam o troglodycie!

przewodniczący – proszę o ciszę, jeśli wszyscy będziemy mówić jednocześnie, nie porozumiemy się!

pragnąłbym tylko dokończyć swoje wystąpienie odniesieniem się do mistrzowskich tez

krzyki – nie, nie!

dobrze, zamilknę, skoro wolność miesza się z krzykiem i wrzaskiem, sami je sobie ustalcie!

przykro mi, że publicznie różnimy się z moim kocha-
nym kolegą i czuję się zobowiązany przypomnieć mu, że
formalna wolność może i powinna przekształcić się
w wygwizdanie, zawsze kiedy lud zrozumie, że za siekier-
kę dostaje kijek, że rzeczywisty problem, naglący, drama-
tyczny, który się tu dyskutowało, stanowi pretekst do bi-
zantyjskiej debaty kilku jajogłowych obstających przy
swych akademickich przywilejach, całkowicie odizolo-
wanych i nieczułych na aspiracje i głębokie potrzeby
mas, specjalistów, którzy wyniośle ignorują wszystko,
co nie ma związku z wąską dziedziną ich specjalizacji,
pochłoniętych bezużytecznym zajęciem dekorowania
ścian kompletnie podziurawionego okrętu, nieodwołalnie skazanego na zatonięcie!
głos – brawo, bardzo dobrze powiedziane!
tematem, który się roztrząsa na tym sympozjum, i proszę mi wybaczyć brutalną szczerość, jest po prostu
i najzwyczajniej w świecie ewidentna niesprawiedliwość
ustroju społeczno-gospodarczego, w którym żyjemy, bez-
względne użycie mechanizmów tyranizujących, którymi dysponuje, aby zniszczyć istotę ludzką i uczynić
z niej strzęp, jego zorganizowane łupienie bogactw
i dóbr ziemskich, chciwe zagarnianie wartości dodatkowej robotnika i urzędnika, elitarna koncepcja kultury
niedopuszczająca ludu do centrów nauki i świadomie
utrzymująca go w ciemnocie, ogłupieniu, w jakie wciska
ludzi i zmusza ich, jak to ma miejsce w przypadku tego
nieszczęśnika, którego macie państwo przed sobą, do
odejścia na margines maszyny nikczemnej produkcji,
odwrócenia się plecami do jego kłamliwej i kryminal-

nej propagandy, odszukania schronienia w prehistorii mniej bezwzględnej i tyrańskiej, skoro, porzucony na los swych własnych sił, nie był w stanie samotnie wykuć sobie jasnej świadomości co do swej sytuacji, intelektualnego narzędzia obrony przeciw wyobcowaniu, którego jest ofiarą, i dostrzec promienia nadziei nowego społeczeństwa, bez wyzyskiwaczy ani wyzyskiwanych, który przebija się ostrym światłem, już zaczyna rozświetlać nasz przeżarty grzybem i zrujnowany budynek! (liczne szepty dezaprobaty)

głos – proszę się trzymać tematu i darować sobie te przemowy!

protesty lokajów systemu nie uciszą mego głosu, moja dumna uwaga dotycząca tej świecącej latarni, która stanowi ostatnią nadzieję na zbawienie ludzkości, zagrożonej śmiercią w szponach zdychającej bestii, szermującej, jako ostatecznym argumentem, zastraszaniem, szantażem broni nuklearnej, perspektywą okrutnego kataklizmu!

głosy – dość! niech pan przestanie gadać! znamy te bzdety na pamięć!

no to dołożę wam nimi jeszcze raz, bo nikt nie potrafi zatrzymać postępu i w Republice Ludowej (zgiełk nie pozwala słyszeć jego słów) coś takiego jak obraz tego nieszczęśnika, którego teraz oglądamy, byłby absolutnie nie do pomyślenia, tam wyzysk został wykorzeniony raz na zawsze, proletariat przejął władzę, wszyscy ludzie mają równe szanse, lud kontroluje programy edukacyjne i śmiałym atakiem zdobył ostatnie reduty wcześniejszej ginącej kultury!

głosy – niech on zamknie dziób!

tak (krzyki znowu mu przerywają) masy objęły zarządzanie własnym przeznaczeniem i zamiast wegetować w nędzy fizycznej i intelektualnej, którą znamy, łakomie czytują klasyków naszej doktryny, zbiorowo zagłębiają się w studiach Dzieł tego wielkiego Przywódcy, którego niebywała popularność objawia się w nieustannym cytowaniu jego i jego myśli podczas odczytów, mityngów, przemówień, prywatnych rozmów, w nieskończonych portretach, które miłośnie zwisają w domach wszystkich obywateli, w spontaniczności i zapale, z jakim młodzież, wdzięczna, prowadzi rywalizację w malowaniu obrazów i układaniu wierszy na jego cześć, świadoma jego gigantycznego wkładu w postęp historyczny, do rozwoju osobowości ludzkiej, do trwałego dziedzictwa ludzkości!

różni członkowie dyskusji – to jest niedopuszczalne!

gromki głos – spadaj i jedź do swojej Republiki, jeśli tak ci się podoba!

krzyki – tak, tak, niech jedzie!

przewodniczący – proszę państwa, trochę spokoju!

ale nikt go nie słucha – uczestnicy wyrażają swe niezadowolenie gorączkowym uderzaniem w pulpity – niektórzy wstają, wchodzą na siedzenia, wskazują na dyskutantów oskarżycielskim palcem – prelegenci dyskutują pomiędzy sobą, starają się wskrzesić żar poprzednich wystąpień, odnoszą się do dokładności i ścisłości nauki, kryją się za nietykalną postacią jakiejś uznanej znakomitości, agresywnie ciskają jego powiedzeniami niczym bronią miotającą, obwiniają siebie wzajemnie o sekciarstwo, improwizację, nieudolność – kiedy grupa podróżnych z Sahara Tours dyskretnie wchodzi na salę, wrzawa jest ogłuszająca – przewodnik usiłuje przetłumaczyć im wyjaśnienia z ulotki reklamowej sporządzonej przez Biuro Turystyczne, ale okazuje się zmuszony do porzucenia swej przemowy mimo nowoczesnego, wyciszonego, superczułego systemu słuchawek, w jaki zostali wyposażeni – przestraszeni, zmieszani, zbili się w grupkę wokół niego, nie odstępują go ani na chwilę, z powodu mnóstwa kieszonkowców i ogólnego braku bezpieczeństwa w hotelach krajowców, tobołki i paczki, w których świetnie się mieszczą ich różnorakie dobra ruchome, metalowe pudełeczko ze wszystkimi ich skarbami, zgraną talią kart, kolorową planszą anatomii, rozprawą o sztuce uwodzenia z kulinarnymi przepisami na afrodyzjaki, starym i wyświechtanym egzemplarzem Koranu, zaklęciami, starodawnymi książeczkami modlitewnymi

wszyscy tam są

duchowo nieskomplikowany gładzi ścięgna swych pośladków, miłośnie pieszcząc je niczym mamka

kobieta w kwefie przepowiadająca przyszłość

zgarbiony cudotwórca ze swą kredą do robienia napisów

chłopak akrobata ubrany w marynarkę i kapcie w pstrych kolorach

tancerze *gnaua*, w nieskazitelnie białych bluzach i spodenkach, o nogach gładkich, ciemnych, o nieskrępowanej i niezbędnej nagości

wielkolud o potężnej czaszce, doskonale ogolonej, nigdy niewyolbrzymionej i masywnej, szerokich barkach, mie-

dzianej skórze, mięsistych ustach, mongolskich wąsach, spływających po brodzie, zębach wysadzanych złotem
stary mim z głową przykrytą blond peruką
dwóch klownów z oślimi uszami i elementarnym przebraniem
fleciści o stalowych nerwach, o ciemnej cerze i szorstkich wąsach, w towarzystwie *zámil* w kobiecym ubraniu, z cienkim kwefem z gazy, haftowanym paskiem
zbieracz gadów o faunowej hiszpańskiej bródce, niczym wspaniały kozi samiec
skryba z piórem, kałamarzem i pomarszczonym pergaminem
kupcy
mędrcy
rzemieślnicy
pomocnicy aptekarza
studenci szkół koranicznych
wyraźnie nie zwracają uwagi na znaczenie spektaklu, któremu właśnie się przyglądają, na mnożenie się przemówień i krzyków, przeciwne platformy, na których prelegenci pozostają na stojąco, aż któryś z nich zauważa, w cieniu, milczącą obecność, okrutnie skuloną w fotelu, jeszcze pogrążoną w hermetycznej kontemplacji zmiętej chusteczki
ostrożnie, obawiając się, żeby nie okazało się to kolejną iluzją zmysłów, pokazuje ją sąsiadom, konsultuje się z nimi, niskim głosem oznajmia wiadomość
szuf, ma aareftihsz?
szkun?
r-radżel gales aal sz-szilija!
faín hwa?

rah, rah, hda t-tabla d-el-muaalimín!
tbarak allah, daba aad szuftu!
i natychmiast – tak, masz rację, on jest z Marrakeszu,
znam go z widzenia, przed laty pracował w garbarni, kto
go przywiózł do tych dalekich krajów?
nie mogąc się pohamować, szczęśliwi, niespokojni starają się gestami zwrócić na siebie jego uwagę, zapraszają go
do siebie, hej, kolego, już nie pamiętasz swoich kraja-
nów?
olbrzym o ogolonej głowie wsadza sobie palce do ust
i wydaje z siebie przeszywający gwizd, który dokonuje
nagłego cudu i ucisza zamieszanie – wszystkie spojrzenia
skupiają się na nim, nawet jaskiniowiec zdaje się budzić
ze swej mrukliwej drzemki – na wpół pogrążony w le-
targu, przygląda się roześmianej grupie turystów i, stopniowo, napięcie na jego twarzy ustępuje, jego oczy odzyskują blask i ruchliwość, jego grube usta, sztywne, jakby
zeschnięte ze starości, wykrzywiają się w wymuszonym
uśmiechu
nagle wstaje z fotela, opuszcza podwyższenie, skokami
pokonuje stopnie amfiteatru, wpada w ramiona pierwszego rodaka, który go wita, mnoży pocałunki pokoju na
jego pomarszczonych policzkach, ledwie potrafi powstrzymać zalew łez
ahlan-wa-sahlan, fain kunti?, asz had el-ghiba?, marhaba bik,
s-salamu aalikum melodyjnie rozbrzmiewają w sali
prelegenci i widownia zdumieni obserwują to radosne
połączenie się rodziny, a kiedy przedmiot debaty ulega
zaćmieniu z powodu intruzów, przewodniczący melan-
cholijnie ogłasza zakończenie sympozjum

Jak wiatr w sieci

pełno dziur – wiatr wciska się ze wszystkich stron,
nie ma możliwości, żeby się schronić, uczucie porzucenia – samotna równina, drżenie piasku, nędza, wrogość,
opuszczenie, wiry pyłu, szał, obsesyjna zawziętość – nie
ufać nawet oczom – zachęta do odpłynięcia, zniknię-
cia, przybicia do dobrego portu – zwodnicza obietnica,
nieustannie oddalana – natłok wydm, niezmierzona
przestrzeń, pozioma śmierć – wymiona, krągłości, zieleń,
oszukańcza pełnia – zapowiedź szczęścia i rzeczywistego
zatracenia – wspinać się rzucany wiatrem, zapuścić ko-
rzenie w niewdzięcznej ziemi, opierać się niegościnnemu
otoczeniu, żywić się powietrzem niczym wytrwały krzak
– obszarpany, bosy, otoczony wymizerowanym stadem,
lunatyczny chód, nic nie wiedzieć o świecie istniejącym
poza tym skąpym pejzażem – liche wiadomości o sobie
samym i o innych – strzępy zdań, gwałtowne, przedłuża-
jące się milczenie, spojrzenia pogardy albo współczucia
– wiedzieć, że jesteś bękartem, jeszcze nie wiedząc, co to
oznacza – przejrzystość, zachowują się tak, jakbyś nie ist-
niał, jest brzydki, nikt mnie nie pieści, matka szybko od-
stawiła mnie od piersi, rosłem dziki, wszyscy śmieją się
z twoich uszu – prowadzić bydło za paszą po suchych

strumieniach, opatulać się kocem, surową derką – wystawiony na słońce i chłód, na żółty pył niesionych wiatrem tumanów – nie ma nic poza tym, co ogarnia wzrok – cykle słońca, pleonazm, monotonia, słowa i gesty powtarzane do upojenia – po kryjomu obmacywać kozie cycki, ssać ciepłe mleko, wyobrażać sobie inny wszechświat, subtelny i przytulny – pewnego dnia odkryć, że twoja matka jest chora, i potajemnie pragnąć jej śmierci – w końcu pan własnej nędzy, uciec od nieboszczyka powodowany zwierzęcym instynktem – iść, iść, nigdy nie odwracając głowy, nowe plemiona, nowe pastwiska, szukać schronienia przy stadach, żebrać, poszukiwać żywności – żyje sam, zostawmy go ze zwierzętami, zje z nami, pójdzie paść owce – nocne pogawędki, codziennie dziergane w cieple ogniska – słyszeć, jak mówią o mnie, jak gdyby mówili o innym – nikt się nim nie zajmuje, matka nie żyje, on jest głupkiem, odpowiada chrząknięciami – wciąż te moje uszy – i pragnienie, żeby uciec jak przynęta rzucana na twojej drodze – ledwie adoptowany, ledwie zbiegły – dziki, nieokrzesany, wędrowny jak bydło, niepewna marszruta, nie można go mieć – plądrować, prowokować szczekanie, być przedmiotem kpin, uciekać przed ciskanymi kamieniami – słuchać – wygląda na wybryk natury – słuchać – nawet diabeł nie zabrałby go z sobą do piekła – ale dalej żyć, nie zwracać na to uwagi, otrzymać pomocną jałmużnę, miskę mleka, litościwa ręka, miły uśmiech – porzucić nagość pustyni – po raz pierwszy zbliżyć się do osady i podziwiać nienaganną symetrię gwiazd – konstelacje kreślone grafionami, powiększające się w miarę zbliżania – bąble cudownie zamknięte w ampułkach – światło elektryczne – pozostawać przez dłuższy czas oszołomionym, czuć się wyjątkowo szczęśliwym, zapomnieć o tym, co zostało za plecami – przeszłość, popioły, marzenia – obraz twojej własnej brzydoty – niezdarne ciało, prostackie członki, pryszczata twarz, chodzić w bandzie z innymi chłopakami, zostać szczurem na bazarze, czyścić buty, wykonywać polecenia, żyć poza prawem, spać pod gołym niebem – wejść w arkana ich nocnych gier – słyszeć, jak uciekają ze swych mat z milicjantami albo żołnierzami, księżycowe stręczycielstwo, ukradkowe wspólnictwo, dyskrecja cieni, przymykający oczy cmentarz – podglądać ich pieszczoty, szepty, penetracje, sapanie – harmonijne i brutalne zespolenie ciał, które podkreśla gorzkie opuszczenie twojego ciała – nikt mnie nie kocha – ogolone czoło, ośle uszy, mocz jak u muła, ogromny wiświsiek – chodzić w brudzie i łachmanach – znosić spojrzenia z twardą obojętnością, poznać pogląd drugiej strony bez surowego oskarżenia lustra – udać się na *halqa*, wypełnić głowę historiami, podziwiać złotoustego kuglarza, jego skrzący się uśmiech, jego talenty błazna, mędrca i poety – pokazy siły, zręczności, nieporównywalnego krasomówstwa, koranicznej recytacji – zaśmiewać się aż do łez z ich lubieżnych anegdot, gwałtownych onomatopei, obscenicznych gestów – młody, zgrabny, ubrany w skromną dżellabę, nie ma drugiego takiego jak on, wystarczy, że stanie, wezwie łaskę boską, w zamyśleniu skrzyżuje ręce, użyje charyzmy słów i przyciągnie starych i młodych, pozyska ich uwagę, utrzyma ich w ciszy, urzeczonych, w zawieszeniu, mieszkańców świata czystego i doskonałego, przejrzystego niczym algebraiczny dowód – zidentyfikować się z nim, dumny z twojej wiedzy i elokwencji, z rażącej łatwości, z jaką gromadzisz monety i hojnie je marnotrawisz w upojeniu miłosnego spotkania albo w lekkiej euforii haszyszu – pozdrowienia, całowanie po rękach, pokłony, uśmiechy – wszystkie dziewczyny na mnie patrzą – słodycz, delikatność, kobieca woń – podróżować jak on z miasta do miasta, recytować Koran z pamięci, zdobywać uznanie ciepłym tonem głosu – odgadywać twarze piękności skromnie skryte za kwefami, umawiać się na randki jednym zwykłym mrugnięciem oka, noce zimne i rozpalone, jedwabie, skóry, dywany, rozkoszne zapomnienie, dzielone upojenie, zwarty akt strzelisty – przysięgi niepamiętane o świcie, pełnia zniweczona nudą, uciec z lekkim sercem, zniechęcenie, pogarda, kroki złodzieja – coraz więcej jarmarków, pielgrzymek, rynków, nowych podbojów, nowych rozczarowań, wierny jedynie samemu sobie, wieczny oszust – daj upust wyobraźni, niebezpieczeństwo, wściekłość, zwraca się przeciwko mnie, atak zębami i pazurami – lekkość, śpiączka, sen, trawa, bicie, cokolwiek – w wieku dziesięciu lat, mój los się dokonał, jeśli ludzie mu pomogą, będzie gorzej – wiedzieć z całą pewnością, że nie ma lekarstwa – nieuniknione przeznaczenie, ucieczka do wewnątrz, bieda strach ciasnota niemoc brzydota – a jednak rosnąć, czuć ciężar członka pomiędzy nogami, zwisa mu jak u osła, no wyciągnij go, pokaż nam, podciągnij spodenki, żadna kobieta nie będzie chciała go spróbować, będziesz się musiał zabrać do klaczy – uderzenia w kark, okrutne kpiny, ciągnięcie za uszy, zwierzęce zrezygnowanie – *halaqi* sobie poszedł, skończyła się zabawa, zwinęli namioty, może nie wróci - ruszyć przed siebie, porzucić zapyziałe zadupie, iść za karawaną kramarzy, żywić się orzechami, błąkać się po innych bazarach, już bez nadziei - wojskowe garnizony, opuszczone granice na pustyni - krążyć po koszarach legionistów i *espahis*, świadczyć drobne usługi żołnierzom, wyskrobywać jedzenie z garnków, jeść resztki, zbierać odpadki - przyzwyczaić się do swojej kondycji pasożyta, biegły w pomyjach, wykształcony na kościach - chory świat, zarażony obcymi przedmiotami, nic dla mnie, wszystko dla nich, powolny rozkład, widmo życia - kurz, piasek, samum, okopcony od środka, nie ma sensu mnie czyścić, masz brudną duszę - trwać, wegetować, od jednego regimentu do drugiego, chłopak poszukujący ścierwa, łysy, śmierdzący, z sępią bulimią - świt, zwiastun nowych nieszczęść, puszka Pandory, zwodniczy blask - także trochę niespodzianek, niespodziewanych wyłomów w rutynie - obejrzeć defiladę wojska przed chełpliwymi władzami - poruszenie, wrzawa, czyszczenie, gardłowe rozkazy, gorączkowe przygotowywanie święta - program teatralny na wolnym powietrzu z *vedette* pochodzącą z metropolii - powozy z intendentury, zaimprowizowana garderoba - straże postawione przed drzwiami, natrętność żołnierzy, ciekawskie spojrzenia zza zasłon, blond włosy, śmiechy, kołysanie biodrami - scena z desek, szczupłe dekoracje, błyskotki, zasłony, jupitery, niespokojna publiczność, kucający żołdacy, oklaski, gwizdy - marsylska orkiestra wojskowa, nosowy dźwięk akordeonu, tęsknota za domem, chodzenie po linie, żonglerka, folklorystyczne grupy - intermedia, wymuszony wstęp przed zapowiedzianym pojawieniem się artystki – mocny punkt *soirée* – enigmatyczna, zagadkowa postać, oczekująca na swe niesamowite wejście – pióra, cekiny, płócienne buty, zmysłowy taniec – entuzjazm szacownej, bisy, tryumfalne owacje, kwiaty, ukłony diwy – falujące ręce, obiecujące krągłości, sugestywne pozy, powolne kołysanie kroczem – wpatrywać się z zafascynowaniem w punkt zbieżności – zakazany sad, czarny trójkąt, rozkoszny ogród – wiedzieć, że nie jest dla mnie, a jednak pragnąć go, śledzić powóz intendentury, w którym zamieszkała, podglądać w rajfurskim świetle gwiazd, widzieć ją, jak zwinnie się wymyka w mroku – ukradkowe postacie, manewr *espahis*, ciche kroki, słodycz cmentarza – patrzeć, przyczajony, na kolejne stosunki – pojękiwania, elektryczne prądy, indukcje, dyszenie i po nim nagła ponura cisza – czas, aby wstać, ustąpić miejsca koledze, spowodować podłączenie, skok napięcia, ponownie odłączyć – odczekać, aż ostatni szubrawiec się nią nacieszy, natrze piaskiem niezgrabny bagnet, zniknie ze swej strony, usunie się w mrok pomiędzy grobami – sami we dwójkę, ciągle leży, słyszysz, jak oddycha, powoli dochodzi do siebie

merde, j'ai les reins brisés!

przełamać urok, zbliżyć się do niej, przezwyciężyć słabość nóg, w końcu przyjrzeć się jej – pochylona nad torbą pielęgniarki, w której niedyskretnie przegląda bogatą listę swych skarbów – kredki do ust, kremy do twarzy, cienie do oczu, flakony perfum, podkład – wata, ostentacyjny słoik wazeliny, papier nasączony mentolem, paczka bandaża wodochłonnego – frontowe półkule zarysowa-

nych piersi, wyraźne sutki gotowe, by się naprężyć, głęboko
kie łono o niepokojącej dyspozycyjności – przez kwef
prześwituje smakowita rozkoszność jej ust, oczy dosięgają cię niczym strzały z bardzo bliska – rzęsy ociekające tuszem, odsłonięty pieprzyk na policzku, głos szorstki
i zmysłowy, romantyczna interpretacja Maroka
*eh, toi, le gamin, qu'est-ce que c'est que ce bâton qui te pend entre
les jambes?*
żadnej kpiny w jej intonacji, żadnej pogardy – jedynie
ciekawość, sympatia, tkliwość, pozwól, że się zbliżę, bada
rigor mortis, uśmiecha się z niedowierzaniem
ce n'est pas vrai! – mais c'est énorme!
porozumiewawcze mrugnięcie, szybkość języka, okrzyki
zdumienia, przedłużony żar, szczery podziw – delikatne
i doświadczone ręce dotykają rzeczywistego cudu, mierzą,
oceniają, zdają się ważyć go pieszczotliwie – stopniowe
zdumienie, zachwyt, osłupienie, po czym wraca do pielęg-
niarskiej torebki, wyciąga metr krawiecki, rozciąga go od
podstawy do czubka, czule obejmuje cały obwód, prze-
strasza się, cieszy, robi miny udawanego przerażenia
utrzymać się w bezruchu, pojmany, zachwycony, niezdolny do przyjęcia tak wielkiego szczęścia, nie śmier-
dzisz, nie brudzisz, brak mu uszu, kobieta wstaje, wzdy-
cha, całuje ciebie, mówi, że wróci, będziecie się kochać,
będziemy się pieprzyć, dalekie katakumby, odległe cmen-
tarze, nigdy nie zapomni mojej postawności, rozpozna
cię po długości broni, schowaj ją dla mnie, dobrze jej pil-
nuj, wcześniej czy później zgłoszę się po nią, uczyni ją
swoją, wypełni nią pustkę swej groty, przyjmę go, przysięgam ci, aż do samego gardła

Wiadomości z zaświatów

czekali na nią za rogiem albo, żeby ściślej rzecz ująć, przy samym wyjściu z kanału – wlokła za sobą strzępy modelu z *crêpé polyester* z Pronuptia – zgubiony welon, kwef, peruka, buty na obcasie, sztuczne zęby – zniszczona, sponiewierana, obdarta i utrudzona, jak mówi tekst piosenki
grupa pięciu czy sześciu, wyposażonych we wszystko, co niezbędne do wypełnienia wyznaczonej misji, jak się później dowiedziałaś, z racji godności i prestiżu – na srogie i beznamiętne polecenie najwyższych czynników hierarchii – szybko przesłuchana, dozorowana, naćpana, przemycona przez granicę z pomocą nowych wysłanników przebranych za biznesmenów albo turystów, poprzez pocztę dyplomatyczną
kiedy się obudziłam, znowu byłam w raju

pierwsza konsekwencja – odzyskanie twojej kondycji istoty wiecznej, ponowne włożenie odświętnych szat niewinnej, rumianej, wiecznie trwałej młodości – oblicze gładkie i delikatne, doskonałe rysy, uśmiechnięty wyraz twarzy, czyste spojrzenie, niezmącony uśmiech – kaskada jasnych włosów, ułożonych bez potrzeby używania szamponu albo trwałej, regulaminowo przyciętych na wysokości talii – ciało lekkie, wiotkie, zwinne, smukłe, niezeszpecone tłustymi wypukłościami z tyłu ani przednim biustem bipolarnym, napiętym, kulistym – wolna też od powierzchownych otworów, które ku ich nieszczęściu trapią wszystkich niegodnych śmiertelników – lazurowe oczy, przejrzyste, które wiecznie się zabawiają pobożną kontemplacją jakiegoś eterycznego i przejrzystego obrazu – subtelne gesty i miny, ruchy zwiewne, promieniująca wiedza i piękno – słodki tembr głosu, harmonijnego, wyszukanego, idealnego do intonowania *deogratias* i antyfon, sławienia Pana, Pośredniczki i członków egzekutywy, nieustającego gloryfikowania korzyści płynących ze wspaniałego systemu, którym się cieszymy

wielkie wyzwanie stojące przed nami – jak udoskonalić doskonałe, poprawić warunki porządku ze wszech miar niemożliwego do poprawienia? – problem wystawiający na próbę nasze nieustanne oddanie rzeczywistemu postępowi życia i będący przedmiotem ciągłych, owocnych debat w komitecie Góry i małego kręgu przyjaciół, którzy dbają o zdrowie Matki – ustanawiać okresowo nowe i bardziej śmiałe zadania, przekazywać dyrektywy po linii służbowej, czuwać nad ich właściwym wypełnianiem przez niższe chóry – podsycać w nich zdrowego ducha rywalizacji i służby ochotniczej – zanosić maksymy i prawidła Przewodnika i Pośredniczki do najbardziej odległych miejsc, czuwać, by były czytane raz za razem, aż będą znane na pamięć, nie dopuścić, aby pojawił się jakiś błąd dykcji mogący zmienić odpowiednią interpretację tekstu, upewnić się co do posłuszeństwa i wierności kadr pośrednich, ustalić z nimi datę zwycięskiego osiągnięcia wyznaczonych celów – biliony paternostrów, tryliony awemaryj, modlitw niezmordowanie powtarzanych, aby oswobodzić błogosławione dusze, pokutujące za swe winy, albo oddalić prostackie pokusy osaczające nieszczęsną istotę myślącą – w odpowiednim czasie promować przykład szczególnie oddanego nadzorcy, który spontanicznie potroił liczbę modlitw przypisanych jego chórowi i funkcji – propagować wzruszające słowa podziękowania i pozdrowienia ze strony charyzmatycznej naczelniczki Sekretariatu – nieustanny postęp ilościowy, obracający w pył poprzednie i już nieprawdopodobne rekordy, bez zaniedbywania przez to aspektu, który moglibyśmy nazwać estetycznym, naszych ciągle zwiększających się wymagań co do gustu i jakości – delikatny hieratyzm postawy i gestów, nieskazitelna modulacja trylu w chwili śpiewania psalmów, okazać na zebraniach i w działaniu modelowy entuzjazm i radość, rozszerzyć czystość i stałość uśmiechu aż do granic niewypowiedzenia

naszą metodą najbardziej skuteczną i rentowną – perswazją – przekonać tę, która zbłądziła albo zgubiła drogę prosto wytyczoną w Księdze, o tragicznych konsekwencjach jej zagubienia dla niej samej i dla społeczności – napominać ją, żeby nie naśladowała Medei, której zachowanie piętnował Owidiusz, kiedy wymownie wkładał w jej usta to *video meliora proboque, deteriora sequor*, co wyraża jej słabości, niekonsekwencje, rezygnację – skłonić ją delikatnie, ale stanowczo, do szczegółowego rachunku sumienia, do wejrzenia wewnątrz jej duszy, do uwierzenia w terapeutyczną jakość rozdzierającej i prawdziwie szczerej autokrytyki, wyczerpującej, lojalnej – czyż prawo historyczne, codzienne doświadczenia zmysłów nie dowodzą przypadkiem, ponad wszelką rozsądną wątpliwość, że nasz ustrój jest najbardziej sprawiedliwy i właściwy, ponieważ znosi wszelkie sprzeczności albo możliwe różnice pomiędzy jednostką i kolektywem? – czyż buntowanie się przeciwko niemu nie jest buntowaniem się przeciwko samemu sobie? – ponieważ dobro ich obu miesza się we wspólny akord, komuż przyszłaby do głowy ekstrawagancka myśl walki, żeby siebie samego samounicestwić, jeśli nie biednemu, haniebnemu samobójcy, gotowemu targnąć się na swoje dni pod pretekstem uniknięcia zachwycającego i szczęśliwego życia pozostałych? – gdybyśmy byli twardzi i niewrażliwi, jak chcą nasi potwarcy, pozwolilibyśmy dezerterującemu posłańcowi, wykolejonej uciekinierce, wskoczyć z własnej woli w otchłanie, gdzie niechybnie spotkałoby ją zatracenie – ale nasze poczucie braterstwa i obowiązku, światłe przykłady Szefa, Pośredniczki i członków egzekutywy skłaniają nas do nieporzucania upadłej na pastwę jej jałowego delirium, jej smutnej i obłąkańczej próżności – nasza troska o ciebie wynika z głębokiego i mocno zakorzenionego przekonania – tylko schizofrenik, przypadek kliniczny, mógłby się poniżyć do tego stopnia i robić to, co ty robiłaś – zachowując cierpliwość i łagodność my ci pomożemy dojść do siebie po twojej buntowniczej i podstępnej chorobie

wiele się o tobie mówiło, i ty o tym wiesz – nieodmiennie twój przypadek pojawiał się w rozmowach i byłaś, by tak powiedzieć, głównym tematem plotek – kiedy chwalebna Pośredniczka dowiedziała się o twoich przygodach oraz jak nisko upadłaś, przez kilka dni nie wychodziła ze swych komnat, trapiona, podług plotek docierających z jej Sekretariatu, silną, uporczywą migreną – gdybyś zachowała w głębi swych wnętrzności choć jeden atom wdzięczności, pobiegłabyś do Niej błagać o przebaczenie z powodu swego głupiego i rozpasanego postępku – czy to w ten sposób odpłacasz jej za niezliczone dobra i łaski, którymi szczodrze cię obdarowywała? – skromny osobisty list wyrażający skruchę i mocne postanowienie poprawy pomógłby ulżyć jej ranom, przyłożyłby dyskretny, wonny balsam na zasmucone serce Matki – zrób to dla siebie, dla nas, dla Niej – poszukaj w swoim wnętrzu, wydobądź siły ze swych najszlachetniejszych, najczystszych uczuć, sporządź katalog swoich uchybień – odstępstwo, pogwałcenie statutów, reformistyczne halucynacje, burżuazyjne ciągoty, porzucenie słusznej drogi, nakreślonej przez instytucje kierownicze, nałogi i skłonności typowe dla przezwyciężonych okresów historycznych – znajdź też inspirację w przykładzie innych – w zaraźliwej gorączce, z jaką stosujemy normy, przekraczamy plany, dostarczamy uwzniośłających chwil, jak ta, w której właśnie jesteśmy – pozwalając ci uciec od piekła, w którym się pogrążyłaś, zerwać z błędami przeszłości, przyjąć postawę jasną i zbieżną z naszą paradygmatyczną filozofią społeczną – wystarczy, że szczegółowo opiszesz wszystko, co powiedziałaś i zrobiłaś podczas swoich zgubnych wycieczek po świecie – nie zapomnij tego – utrzymanie świetlanej przyszłości naszego modelu społeczeństwa będzie najlepszym sposobem na zapewnienie świetlistości twojej własnej przyszłości

wiecznie ten sam bełkot, szantaż, propaganda, kazanie – dzień i noc z tą śpiewką na karku – nienormalność, prywata, inwolucja, tendencje regresywne, orgiastyczne – bóle głowy, o które, o ja, zepsuta, przyprawiałam Pośredniczącą (spowodowane bardziej, twoim zdaniem, ciężarem diademów i klejnotów, którymi przesadnie się obwiesza) rozpalający obraz chórów zaprzątniętych realizacją swych modlitw albo śpiewanej liturgii ku czci naszej przełożonej, dokooptowanej kierowniczki (coś, co było dla niej obrazem nie do zniesienia – powtarzającym się, uciążliwym, monotonnym, ogłupiającym) ich zawzięty upór, żeby cię skłonić do spisania twojej biografii, zrobienia przeglądu czynów i myśli, żebyś zaspokoiła ich chorobliwą ciekawość tysiącem pikantnych zdarzeń – okoliczności, w jakich ciebie poznałam, jak i kiedy się pieprzyliśmy, dokładny kaliber twojego instrumentu – chciały wiedzieć wszystko, absolutnie wszystko, bez darowania ani pozostawienia w kałamarzu najmniejszego szczegółu – dobrze całowałeś? gryzłeś mi piersi? czym smakowała twoja surowica? jak wygląda twój handżar – umierały z zazdrości o naszą chwilową chwałę, mimo niewzruszonego wyrazu twarzy, jaki nieodmiennie przyjmują na swych spotkaniach i przesłuchaniach – jakby zmysły miały pamięć! – jakby miłość nie była właśnie piękną, zmienną kolekcją chwil! – nie było sensu przekonywać ich, że nie wiedziałam, kim jesteś – że nie znałaś albo zapomniałaś jego imię i wygląd – bo moja miłość była jedyna, a twoje ciało, postać, figura, atrybuty niedostrzegalnie się zmieniały – nie zachowałam pocztówek aktu, nikt ich nie sfilmował w chwilach rozkoszy, twoje życie przeminęło niczym niejasny, przypadkowy sen – ale one były gotowe na wyciągnięcie ze mnie zeznań za wszelką cenę, smakować z przerażającą rozkoszą niesłychane ordynarności – śliniły się, przysięgam ci, gdy tylko odpowiedzialni towarzysze odwracali się do nas plecami – powiedz, opowiadaj, jaki był ten żebrak z kanałów? – czy to prawda, że miał trzynastocalową pikę? – jaką miał twardość i jaką średnicę? – wsadził ci go całego? – jak, cholipcia, udało ci się go wsadzić do gardła? – ich dekoracyjne buźki, w końcu pokraśniałe, drżały z niecierpliwości i uniesienia, wyobrażając sobie wspaniałość mojego zasługującego na uznanie seksu oralnego – ich biusty smutno gładkie, ich korpusy krótkie i proste, pozbawione niezbędnych organów i zakamarków, płonęły, drżały, trzęsły się, ofiary nieznanego podniecenia, którego nieunikniona frustracja przekładała się na wybuchy gniewu i wściekłości – brudna, świnia, fleja, czy nie wstydzisz się ani nie brzydzi cię to, że upadłaś tak nisko? – zapominały się, bawiły się w lekarzy i pielęgniarki, zadzierały mi okropną lnianą włosiennicę i radośnie potwierdzały moją hermetyczność (celuloidowa lalka, oto czym w rzeczywistości byłam!), a one, wredne hipokrytki, też się rozbierały, okazywały nikczemną perspektywę swych spłaszczonych ciał, udawały, że kopulują, używały fletu, którym jedna z nich (najbardziej ścichapęk) intonowała wieczne peany na cześć Przewodnika i nieusuwalnej naczelniczki Sekretariatu – dobra, gadaj, wyrzuć to z siebie w końcu! – umierałaś z rozkoszy z twoim Murzynem? – powtórz nam twoje gesty, pozycje, krzyki, westchnienia aż do chwili, w której przyłapali was na pieprzeniu! – wybuchy niepohamowanej szczerości, skrywanych od razu pod maską afektowanej i wymuszonej powagi, kiedy tylko wyższy personel pojawiał się z kartkami, piórem, kałamarzem, dobra stara, naprzód, zostaw swoją dumę, współpracuj z nami w solidarnym zadaniu odzyskania ciebie, dokonaj szczerego i otwartego wyznania swoich przestępstw, pamiętaj o naszym przyrzeczonym odpuszczeniu grzechów, słuchaj głosu swego sumienia, po prostu pomóż nam tobie pomóc

zamknięta w przezroczystej szklanej klatce, zmuszona do zabazgrania kartek szczerym i gwałtownym wyznaniem, przymuszona do wyznania domniemanych przestępstw i obrzydliwości, znikałam dzięki myślom o tobie, mój kochany, o przelotnej rozkoszy naszego spotkania, o ogromnej namiętności, która nas łączyła, oszałamiających, niesamowitych chwilach szczęścia, które poniosło nas oboje, przywoływałam twoje znakomite oblicze przestępcy, twój nieodparty urok szubienicznika, twoją barbarzyńską, dziką powierzchowność w noc, kiedy spotkaliśmy się w medynie w Wadżda, miałeś służbę z kolegą milicjantem, buty, pas, znaczek lederwerki Sił

Pomocniczych – błyskawicznie mnie poderwałeś, przyciągnąłeś mnie jak magnes, nasz głuchoniemy dialog, z mrugnięciami i gestami, został wspomożony niejasnym stręczycielstwem ulicy, poprowadziłeś mnie do ciemnego zaułka, po uprzednim sprawdzeniu przeze mnie twardości twojego członka, dyszeliśmy spowici ciemnością, podczas gdy twój kolega pilnował rogu, skończyłam absolutnie wyczerpana, a kiedy ty go wycierałeś moją chusteczką, ten drugi przyszedł i wykorzystał sytuację, ona nie chciała mieć z nim nic wspólnego, twoja wspaniałość mi wystarczała, ale on się upierał i wstawiłeś się za nim, *hwa sahbi, aandu denb tawil*, więc nie miałam innego wyjścia, jak się zgodzić, żebyś się nie obraził, nie dostrzegając, że twoje byłe towarzyszki ze służby szepczą, podglądają, intrygują wokół klatki, że nadal jesteś zagubiona w swoich snach, nadal nie wykazujesz oznak skruchy, godzinami siedzisz, nie pisząc ani słowa, gotowe zaraz donieść szefom, wymyślić tysiąc ekstrawaganckich oskarżeń, przenieść dokładny rachunek moich ziewnięć, zamroczona też bezskrzydłą jednolitością rozkładu dnia, doprowadzonego do perfekcji rytuału debat i pracy, fałszywej jednogłośności domniemanych zgromadzeń bazowych, a w rzeczywistości centralizacja, hierarchia, karierowiczostwo, pragnienie, by natychmiast wdrapać się na szczyt, oklaskiwać przemówienia zwierzchniczek najwyższego chóru, powtarzać jak papugi hasła z najnowszego, uzupełnionego wydania Księgi, udawać entuzjazm i nieistniejącą radość, dać szefom dowody służalczego oportunizmu, komponować wiersze, pieśni, homilie ku czci Pośredniczącej, zarysować po raz n-ty, z niezmiennymi pochlebstwami, upiększone rysy jej twarzy, zaczęła wreszcie? nie, jeszcze bredzi, wydaje się wściekła, kto wie, czy nie zamierza nas oszukać, zyskać na czasie, nawiązać kontaktu z nieprzyjacielem, ukuć nowe i jeszcze bardziej nienawistne kalumnie, zasługiwałaby na piekło, tak jak przed przedostatnim Plenum, mówiono, że chciała wystawić na próbę siłę naszego współistotnego humanizmu, poddajmy ją żelaznej obserwacji, wcześniej czy później się odkryje, zrzuci maskę, której się desperacko uchwyciła, zaskoczy nas swoim kryminalnym zachowaniem, kręciły się potem, w podnieceniu, aby przekazać plotkę z jednego chóru do drugiego, już zaczyna, wzięła pióro, rysuje albo stawia laseczki na kartkach, robi z nich kulkę, jeśli wrzuci je do kosza, zabierzemy je stamtąd, będziemy mogły poddać analizie, domyślić się, jaki jest łańcuch jej myśli, jakbym ja o tym nie wiedziała, jakbym nie znała starych metod donosicielstwa, waszej nieuleczalnej skłonności do szpiegowania, pozbawiona wszelkiej intymności, zwykłej możliwości prześlizgnięcia się oczyma wokół ciebie i nienatknięcia się na ich słodkie postaci, niemal albinoskie włosy, jałowe piersi, niepotrzebne pośladki, nieskazitelne tuniki, to było coś, co mogło nagle i całkowicie doprowadzić cię do szaleństwa, horyzont bez granic, śnieżna panorama, schizofrenia świerków, arktyczna samotność lepiej pisać, poplamić papier, wydobyć ozon ze wspomnień, wymyślić, żeby je zmieszać, jakąś kpiącą grę słów

maroko, ojczyzna(ny) przyjęta w podwójnym znaczeniu tego słowa – skręcone, błyskające, niebywale żyzne, potężne magnesy – niewyczerpalny zapas boskich niespodzianek!

zagadki?

i jeszcze lepsza rzecz!

kto ją (je) odgadł, niech mnie zrozumie!

zostawić spokojnie papier na stole, ziewnąć, przeciągnąć się, już skończyłaś? tak, skończyłam, wyjść na spacer, rozprostować członki, wmieszać się w grupę aktywistów jakiejś brygady uderzeniowej, obwieszonej medalami, słuchać ich wyświechtanych dyskusji o tym kwitnącym edenie i po raz kolejny stwierdzić, że twoje wyjście z niego jest nie do pomyślenia, bo nie żyjesz teraźniejszością, tylko przyszłością, i jeśli nie odzyskasz śmiertelności, niestety nie będzie możliwości ucieczki przed przyszłością

DO ODPOWIEDNICH WŁADZ NASZEJ CHWALEBNEJ NIEBIAŃSKIEJ REPUBLIKI

niebawem upłynie dwieście lat od tryumfu naszej cudownej utopii, w tym wprawiającym w zachwyt wieku budowy społeczeństwa uwolnionego od nałogów i plag dawnych ustrojów opartych na wyzysku, pod koniec dekady charakteryzującej się dynamicznym rytmem zdobywania i osiągania niesłychanych celów, w chwili, w której nasza społeczność, oświecona gorliwą lekturą nieśmiertelnego Dzieła Najwyższego Przewodnika, pod mądrym kierownictwem wspaniałej Pośredniczącej i jej wiernych współpracowników z egzekutywy, jest gotowa podjąć nowe i zwycięskie wyzwania, rozszerzyć szlachetne idee wiecznie żywej i niezwyciężonej nauki, ostatecznie ugruntować zdobycze i nabytki z poprzednich planów w celu zapewnienia trwałości cudownego stanu szczęścia, w którym żyjemy, w ramach tej olśniewającej perspektywy, objawionej, która pozwoliła przeskoczyć z przeszłości do przyszłości, bez niepotrzebnego cierpienia z powodu walki, napięć, dramatycznych konfliktów, jakie definiują teraźniejszość pozostałych, historycznie upośledzonych, społeczeństw, istnienie defektu, bez względu na to, jak mały i nieznaczący by on był, stanowiłoby, z powodu absolutnej doskonałości zbioru, słuszny powód do niepokoju, tak jak zwykła plama na pejzażu o doskonałej bieli natychmiast przyciągnęłaby uwagę każdego obserwatora, szokowałaby, powodowała naturalną reakcję odrzucenia i strachu pośród członków naszego szczęśliwego kolektywu, szczególnie jeśli weźmiemy pod uwagę, iż rzeczona plama mogłaby równie dobrze rozszerzyć się, zarazić swym nienawistnym przykładem niewinne i czyste dusze, posłużyć za punkt odniesienia dla tych urażonych i niezadowolonych, których logicznym mieszkaniem byłoby piekło, gdyby niezrównana wielkoduszność naszego Najwyższego Przewodnika nie zdecydowała o jego zamknięciu już przed wielu laty

rzeczone niebezpieczeństwo istnieje, a wszak zawsze lepiej jest zapobiegać niż leczyć, taki jest przedmiot tej krótkiej i skromnej osobistej refleksji

piętno, zniewaga, plama, zakała, zbłąkana owca, burząca piękny obraz społeczeństwa pogrążonego w niesamowitym procesie ciągłego rozwoju, gdzie granice uważane za nieosiągalne są codziennie przekraczane, dzięki nieprawdopodobnemu uporowi chórów wykształconych na transcendentalnym przykładzie Najwyższego Przewodnika i boskiej naczelniczki Sekretariatu, ten element negatywny, wymykający się wszelkiego rodzaju terapiom, szkaradnie przywiązany do zachowania egoistycznego i cynicznego, nawet otwarcie prowokującego, istnieje, i mogę zapewnić o tym bez świadków ani dowodów, gdyż chodzi tutaj o mnie

pomimo bajecznych wysiłków pewnych heroicznych towarzyszek, które dniem i nocą zmieniają się przy mnie w celu braterskiego przekonania mnie do odrzucenia mych straszliwych błędów, z uporem, oddaniem, nieustraszonością i altruizmem, które wzbudzają mój podziw i entuzjazm, pozostałam głucha, zamknięta i obojętna na ich niepodważalną argumentację, na nieprawdopodobne przejawy dobroci i bezinteresowności, jakimi hojnie szafowały wobec mnie

jestem niegodna, by należeć do społeczności, której najwyższe morale w sposób ewidentny okazuje jej przykładny i niezwyciężony charakter

nikczemności, nędzę, zboczenia, jakie poznałam na świecie wadliwym i zgrzybiałym, nieodwołalnie skazanym na zniknięcie i ustąpienie miejsca wyższej dynamice, jaką ucieleśniamy, są dla mnie bardziej atrakcyjne niż niewysłowiona, wieczna pomyślność, jaką niepotrzebnie się mnie raczy i raczyło

chwila rozkoszy, wspomnienie krągłych ust, spojrzenia bojowego i kociego, dumnie uzbrojonego

męskiego narzędzia, w jednej chwili wymazuje wasze obietnice i cudowną rzeczywistość
definitywnie chcę być śmiertelna, znaleźć się na śmietniku Historii
zwróćcie mi starość, zmarszczki, bezzębne usta, zrujnowaną waginę, odbyt tak często raniony
oto moja samokrytyka, i nie wyrzeknę się jej
wierząc w plugawą prawdę moich argumentów, składam swój los całkowicie w wasze ręce

zaskoczenie, zdumienie, osłupienie, wściekłość, obrzydzenie malowało się stopniowo na twarzy gorliwych czytelników listu – ci, którzy już wiedzieli, lecieli z plotką do innych, sami bardziej koloryzowali historię, dodawali własne szczegóły, nie uciekając się, jak wymaga regulamin, do normalnego prowadzenia sprawy drogą służbową – myśl o możliwym spisku stała się ciałem – plotkarski kołowrót powodował zadyszki i omdlenia, po cichu dyskutowano możliwość poinformowania Najwyższego Szefa, zakomunikowania niesłychanej wiadomości dalekiej naczelniczce Sekretariatu – sedno było zbyt poważne, wynik mógłby być tragiczny, nikt nie miał odwagi podjąć decyzji, wziąć słynnego byka za rogi – bezskutecznie szukali inspiracji na przejrzystych stronach Księgi, zwielokrotniali żar modlitw, chórem powtarzali maksymy – przypadek nie został przewidziany, a gdy to odkryli, ich uczucie frustracji i niemocy zmieniało się w niejasny stan rozpaczy właściwy zniechęceniu – niektórzy członkowie brygad uderzeniowych zareagowali histerycznie i drapali, jak później powiedziała, szklaną klatkę, w której siedziała zamknięta – Pośrednicząca cierpiała na jedną ze swych zwyczajowych migren i przyjęto jednogłośnie rezolucję, która wydawała się najbardziej rozsądna – chciała odrzucić *ad vitam aeternam* wspaniałe dobrodziejstwa i dary, którymi została obsypana? – wolała nędzę, starość, dekadencję w świecie upadającym w procesie nieubłaganego zniszczenia? – no to niech będzie! – jej pragnienia się spełnią!

uroczyście, nieodwołalnie przyjęli decyzję o jej wyrzuceniu

od tego punktu wyjaśnienia różnią się między sobą wyraźnie – jedni opowiadają, że widzieli ją, jak wylądowała na cmentarzu Bab Dukkala, świeżą, pełną animuszu, młodzieńczą, optymistyczną, mimo lat i trudów długiej, męczącej podróży – może została tam aż do śmierci, krążąc wokół bram koszar, proponując usługi oddanego, dochodowego, niezmordowanego apostolstwa

inni mówią, że żyje w Sidi Jusuf Ben Alí ubrana jak muzułmanka i codziennie przechodzi murami, żeby pójść do garbarni na Bab Debbagh, z nadzieją, że odnajdzie swą dawną miłość

niektórzy twierdzą, że żyje albo żyła z nim szczęśliwie, aż zaskoczyła ich śmierć, ale ja, *halaqi nesrani*, który opowiedział wam te wydarzenia, przyjmując na zmianę głosy i role, przenosząc was z kontynentu na kontynent, nie wychodząc ani na chwilę z braterskiego kręgu, który tworzymy, nie mogę potwierdzić prawdziwości żadnej z wersji jakkolwiek by było, profesja ma swoje wymagania, a ponieważ publiczność zwykle gustuje w szczęśliwych zakończeniach, skłaniam się do potwierdzenia najbardziej przyjemnej hipotezy – sądzę, że, rzeczywiście, cieszą się oboje miłym i dobrze zasłużonym odpoczynkiem, który zrekompensuje nieszczęśliwe życie, jakie wiedli, i na chwilę przepełni słodyczą dusze słuchaczy, nagradzając w ten sposób wierność i cierpliwość, z jaką staliście tu na *halqa*, tej malutkiej wysepce wolności i zabawy na oceanie niegodziwości i biedy, przydając wam i mnie wystarczających sił, aby zakończyć dzień, zwinąć manatki, zebrać sprzęty, znaleźć schronienie, pogodzić sen z myślą, że jutro wszystko potoczy się lepiej, i będziecie, będę jeszcze z wami, gotów wymyślić nowe i bardziej niesamowite przygody, przyjaźnie przyjęty, jeśli bóg pozwoli, na tym miłym i darmowym placu

Lektura przestrzeni na Dżema el-Fna

aby ułatwić pierwszy kontakt, Guide Bleu radzi wspiąć się o zmierzchu na ukwiecony taras jakiejś kawiarni, kiedy słońce rozpala miejski pejzaż i można obserwować w swoim splendorze wszechobecną improwizację jego święta

Fodor proponuje, przeciwnie, wtargnięcie o poranku przez Bab Fteuh, w celu złapania na żywo niesamowitego *bric-à-brac* jego rynków

Nagel, Baedeker, Pol, bardziej przezorne, sugerują podejście spokojne i dyskretne – chwycić go z flanki, bez uprzedzenia ani przygotowania, i pozwolić się wlec tłumowi, aż niespodziewanie wejdziesz w nie

couleur locale breakway fascynacja

a jednak

niczym pająk, niczym ośmiornica, niczym stonoga, która prześlizguje się i ucieka, przebiera nogami, sprzeciwia się, wymyka z uścisku, udaremnia jego zdobycie

wszystkie przewodniki kłamią

nie można się do niego zabrać od żadnej ze stron

agora, przedstawienie teatralne, punkt zbieżności – przestrzeń otwarta i ogólnie dostępna, szeroki natłok myśli

wieśniacy, pasterze, *áscaris*, sprzedawcy, handlarze końmi przybyli ze stacji autobusów, postojów taksówek, przystanków zaspanych samochodów do wynajęcia – złączeni w leniwą masę, zaprzątnięci kontemplacją codziennej bieganiny, życzliwie przyjęci przez swobodne otoczenie, w ciągłym, zmiennym ruchu – natychmiastowy kontakt pomiędzy nieznajomymi, zapomnienie o przymusie społecznym, rozpoznania w modlitwie i śmiechu, chwilowe zawieszenie hierarchii, rozkoszna równość ciał

spacerować powoli, bez zegarowego niewolnictwa, śledząc zmienną inspirację tłumu – podróż w świecie ruchomym i błędnym – przystosowany do rytmu pozostałych – w przyjemnym i płodnym nomadyzmie – cienka igła w środku stogu – zagubiony w maremagnum zapachów, wrażeń, obrazów, przeróżnych akustycznych wibracji – jaskrawym dworze królestwa szaleńców i szarlatanów – biednej utopii absolutnej równości i swobody – wędrować od kręgu do kręgu, jak się zmienia pastwisko – w neutralnej przestrzeni chaotycznej i szalonej stereofonii – tamburyna gitary pośladki obwieszczenia przemówienia sury piski – zbratana grupa, która nie zna azylu, getta, marginalizacji – obłąkańcy, potwory, dziwadła swobodnie się tam rozkładają, dumnie wystawiają na publiczny widok swoje kikuty i blizny, besztają przechodniów, wściekle gestykulując – ślepi savonarolowie, czołgający się ślepcy, recytujący Koran, opętani, szaleńcy

– każdy ze swoim nieszczęściem na karku, skrywający się w szaleństwie niczym ślimak, wbrew publiczności obojętnej, kpiącej, współczującej

tłum przelewa się na ulicy, otacza samochody i dorożki, ciśnie się przy wózkach handlarzy, oblega stada owiec i kóz, przyjmuje właściwości wielkiej manifestacji bez celu, ludowego wojska bez szlifów ani stopni – rowery kierowane przez ekwilibrystów, karawany osiołków obładowanych koszami, autobusy, których manewry przy parkowaniu przywołują żałosną niezgrabność ruchów bezwładnego wieloryba wyrzuconego na brzeg – prędkość, siła, moc podporządkowane prawu większości – niemoc, bezużyteczność klaksonów i maszyn – odwet spontaniczności, pstrokatości, mnożenia się przeciw powszechnemu klasycznemu porządkowaniu – ziemia niczyja, gdzie ciało jest królem, a wizerunki zawieszone na lampach i budynkach są kukłami o spełzłych kolorach

przetrwanie nomadycznego ideału jako utopii – wszechświat bez państwa ani przywódcy, wolny obieg osób i dóbr, wspólne terytorium, pasterstwo, czysty impuls odśrodkowy – zniesienie własności i hierarchii, sztywnych przestrzennych granic, dominium opartego na zasadzie płci i wieku, prymitywnego gromadzenia bogactw – przyjąć płodną wolność Cygana nierespektującego granic – rozbić obóz w przestronnej teraźniejszości poszukiwania i przygody – pomylić morze z ziemią i żeglować po niej z subtelnym usposobieniem rybaka – popierać struktury wędrownej gościnności, bezcłowe porty wymiany i dyskusji, rynki, jarmarki myśli

nomadzi oceanu albo rybacy piasku – palmowe gaje pośrodku pustyni – wyspy zieleni na morzu w kolorze ochry, o pomarszczonej powierzchni, pofalowanej – falowanie marszczące grzbiety wydm – ucięte pnie stojące jak maszty – malutkie karawany, jak łowiące flotylle
analogie pomiędzy pustynią i oceanem – nieograniczona przestrzeń, osamotnienie, cisza, nakładanie się fal i wydm, bezkresna i dzika wolność, przejrzystość, absolutna czystość
przypadkowy związek z żywiołami – wspólna zależność od wiatru i deszczu, księżyca, słońca, gwiazd, burz
zabezpieczenie się, doświadczenie, wiedza przodków w obliczu podstępów i pułapek klimatu, zdradliwych zmian nieba
przenikliwy zmysł orientacji, jednoczesna lektura ciał niebieskich, wrażliwość *zahorí*, który odnajduje ławicę albo żyłę wodną
ruchliwość, odwaga, niepewność, solidarność wobec niebezpieczeństwa, wytrzymałość, umiarkowanie, lekka gościnność, braterska

przenośny lokal handlowy – wędrowny handel zredukowany do jego najprostszych przejawów – wytarty dywan albo mała mata – wątłe, niesamowite zasoby – metalowe pudełeczko ze skarbami, zgrana talia kart, kolorowa plansza anatomii, rozprawa o sztuce uwodzenia z kulinarnymi przepisami na afrodyzjaki, stary i wyświechtany egzemplarz Koranu – lampa Aladyna o zmierzchu, albo ochronny parasol, otwarty jak kapeluszowy grzyb, pod którym skrzat chroni się, jak może, przed despotycznym słońcem

przysłowiowa trudność w wymienieniu tego, co rodzi przestrzeń,
sprzęty, różne narzędzia, rupiecie przywleczone z ulic i arterii przez porywisty malström – nieskończoność przedmiotów wszelkiej maści, gdziekolwiek skierowałoby się oczy – obłąkańcza proliferacja bezużytecznych towarów – reklamy i obrazy konsumistyczne haczyk na ewentualnego kupca
cierpliwie równać szeregi rzeczowników, przymiotników, terminów w nierównej walce z doskonałą jednoczesnością fotografii – bezskutecznie dążyć za nią, niczym podróżny, który spóźnia się na pociąg i groteskowo dyszy na peronie do utraty tchu
przedmioty, plotki, produkty wypełniające pustkę, materialnie zajmują miejski pejzaż, wylewają się luzem z bazarów i kramów, zasnuwają pole widzenia aż do znużenia
piramidy migdałów i orzechów, suche liście henny, marokańskie szaszłyki, parujące garnki z harirą, worki bobu, lepkie stosy daktyli, dywany, dzbany, lustra, imbryki, różne drobiazgi, plastikowe sandały, wełniane czapki, jaskrawe tkaniny, wyszywane pasy, pierścionki, zegarki z kolorowymi cyferblatami, zwiędłe kartki pocztowe, magazyny, kalendarze, książki w tanich wydaniach, kiełbasy merguez, zamyślone głowy owiec, puszki oliwek,

pęki mięty, słodkie bułki, wrzaskliwe tranzystory, kuchenne sprzęty, gliniane garnki, garnki do kuskusu, kosze wiklinowe, skórzane kamizelki, saharyjskie juki, koszyki z ostnicy, berberyjskie rzemiosło, figurki z kamieni, lulki do fajek, piaskowe róże, pstrokate ciasteczka, cukierki o ostrych kolorach, łubin, nasiona, jajka, skrzynki z owocami, przyprawy, dzbany kwaśnego mleka, papierosy na sztuki, łyżki i drewniane rondle, miniaturowe radia, kasety z Jil Jilala i Nass El Ghiwane, turystyczne prospekty, okładki na paszport, fotografie Pelego, Um Kalsum, Farid el-Atrach, Jego Wysokości Króla, plan miasta Paryża, dziwaczna wieża Eiffla

dodać,
hołd kuglarzowi Juanowi Ruizowi,
do tej anarchicznej listy
symboliczną obecność
jego książki-matrycy

obszerne odzienie spowijające arabskie ciało – wolność wyrazu członków w przelewających się ubraniach, budowa ciała insynuowana potulną elastycznością tkaniny, której fałdy modelują wypukłości i wklęsłości z większą sugestywnością i skutecznością, niż gdyby chadzali nago – wprawna umiejętność objawiania się i skrywania w zbiorowej anonimowości placu – twarze, nogi, talie, gardła odwzorowane na filigranie pod powściągliwą zasłoną kwefów i chust, pod surowością i schludnością kaftanu, przyzwoitością *almalafa* i *fukija* – uda o eliptycznym kształcie wokół ciemnego centralnego celu, kołysanie sie bioder w rytmicznym ruchu korbowodu, radosne falowanie piersi przy najmniejszym napięciu - prądy, wibracje, przypływy krwi natychmiast odzwierciedlone w równoległych i przeciwnych pęcznieniach, pod przykryciem surowej dżellaby albo szerokim, ostrożnym burnusem - pachwinowy stożek przekształcający materiał w namiot Beduina i goszczący, dyskretnie, wyprostowaną pozycję masztu - w sprzyjającej pstrokaciźnie dla niewysłowionych, stręczycielskich, rajfurskich podmuchów wiatru, subtelne manewry zapylania - ryneczek podaży i popytu, gdzie umowę podpisuje się uśmiechami i znakami i, biegli w sztuce spontanicznej semiologii, handlarze odczytują pragnienia i impulsy dzięki dokonywanej pod światło lekturze ubiorów

pośród burnusów, *haiques*, dżellab, dżinsów z Korei i Hongkongu, koszulek z reklamami Yale, California, Harvard, New York University
stratą czasu byłoby pytanie tych, którzy je noszą, czy tam skończyli studia - niektórym, może większości, jest całkowicie obce europejskie pismo
śmieszny prestiż zgrzybiałego systemu, który błyska o lata świetle stąd, niczym blask zniszczonej planety, gwiazdy, która wypadła z orbity, martwej
próżność kultury przekształconej w gadżet, odciętej od korzeni, z których powinna czerpać swe życiodajne soki, pozbawionej nawet świadomości swego własnego i dramatycznego nieistnienia

koncepcja ubioru jako symbolu, punktu odniesienia,
przebrania – różnorodność i bogactwo przyjętego kos-
tiumu podczas krótkiej przerwy na zabawę – przejściowe
odnowienie ubiorów i społecznej osobowości – zmienić
ubrania, aby zmienić skórę – być, przez kilka godzin,
nababem, pielgrzymem, królem – oddać się spektaklowi
dla siebie i dla innych
(staruszkowie ubrani w biel aż do stóp, dziewczyny z kolczykami i srebrnymi bransoletkami, chusty o delikatnej
i subtelnej przezroczystości, mnogość nowych pasów
i kapci, turbany niczym harmonijnie zwinięte węże)
przedstawienie teatralne – muzyczny podkład almuade-
mów na minaretach meczetów – światła rampy, sce-
nografie, tandetne kurtyny – zatopić się w radości chóru
żegnającego post ramadanu

dzikie współzawodnictwo na *halqa* – współistnienie wie-
lorakich, jednoczesnych reklam – wolne porzucenie każdego spektaklu po usłyszeniu nowości, podniecenia w są-
siednim kręgu – potrzeba uniesienia głosu, kłócenia się,
wygładzenia stylu, zestrojenia gestu, wysilenia się w gry-
masie, który zwróci uwagę wędrowca albo skłoni go do
niepohamowanego śmiechu – koziołki klowna, zwin-
ność linoskoczków, bębny i tańce *gnaua*, piski małp,
ogłoszenia lekarzy i zielarzy, gwałtowne wtargnięcie fle-
tów i tamburynów, w chwili puszczania wokół talerzyka
na monety – unieruchomić, zabawić, uwieść zawsze goto-
wą masę, przyciągnąć ją stopniowo na własne terytorium, oderwać ją od syreniego śpiewu rywala, w końcu

wyrwać jej lśniącego dirhama, który wynagrodzi siłę, upór, przemyślność, wirtuozerię

komiczna parodia, śmieszna, odwzorowująca poruszenie, szał, bieganinę nowojorskich operacji giełdowych podczas częstych przypływów euforii albo nawały paniki, kiedy Dow Jonesy lecą w górę jak strzała albo znienacka spadają pośród przekleństw klientów, zawrotne zmiany liczb, kupczenie teletypów, szwargot specjalistów
typowość *à rebours* – okropna pożywka białych

siedząc na ziemi, ubogi duchem gładzi pośladki, pieści je miłośnie niczym mamka – tłum gani jego nieszczęsną obecność, przechodzi zajęty sobą mimo niego, nadaje mu cechy idealnej przejrzystości, porzuca go na pastwę monotonnego i obsesyjnego trącania strun – usta o wiecznym uśmiechu, zezowate spojrzenie, życie rzucone na niemożliwy horyzont – miłosierne dusze utrzymują go i czci przeznaczenie z radosną rezygnacją – przyjść na świat, aby kołysać swym instrumentem, wydobywać cierpkie tony, niestrudzenie powtarzać swoje gesty, zajmować dzień za dniem skromną dziurę we wspólnej przestrzeni placu

kobieta w kwefie układa pasjansa, czekając na kąśnięcie klienta – jakiś starzec pisze coś kredą na murze, śpiewając półgłosem *aja* – chór żebraków powtarza bez ustanku *fi sabili l-lah* i potrząsa, ze śmiechem, puszkami monet –

słońce pada im jak młot na głowy, rytuje i podkreśla bez-
wyrazowość ich rysów, rzeźbi i unieruchamia wymuszo-
ne uśmiechy, sprawia, że mrużą oczy (czy to dzieło
much?) jakby odzyskali wzrok mimo swych pustych źrenic, szklanych oczu, okropnej blizny na powiekach

bractwo Ulad-de-Sidi-Hamad-u-Musa gromadzi się spontanicznie i formuje wielką piramidę – wspinają się po
sobie chłopaki na ręczne strzemiona, hej-hopują jeden
na drugiego szybkimi ruchami, wspierają się na ramionach stojących poniżej, ze swej strony pomagają wspiąć
się tym, którzy powinni wdrapać się na samą górę –
dokładna hierarchia wedle wieku i wagi – od silnych
mężczyzn u podstawy aż do kruchego dziecka pozdra-
wiającego niewinnie swych stronników z góry, z cudownego tronu – żakiety i kapcie płoną swymi jaskrawymi
kolorami i posłuszne znakowi szefa osiłki przesuwają
powoli końcówki osi i raz, dwa, trzy razy obracają się wokół z wdziękiem i gracją, zachowując równowagę – podczas gdy publiczność klaszcze i pokrzykuje, i dorzuca
kilka dirhamów do ich szczupłych, skromnych funduszy
– puściwszy się, najmłodsi podejmują, przy biciu bębna,
swe wyczyny akrobatyczne – giętcy linoskoczkowie wy-
konują swe śmiałe ewolucje w nieważkim i szybkim wirze – koła, skoki, salto mortale, rzucają wyzwanie Newto-
nowskim prawom, naśmiewają się z potężnego jabłka,
potwierdzają plastyczną jakość ciał wykutych w bez-
względności i surowości życia bez ochrony ni rodziny,
porzuceni samym sobie od najwcześniejszego dzieciństwa – inni przeginają się do tyłu, naprężają żebra jak

miechy akordeonu, przesuwają głowę pomiędzy nogami, przemieszczają członki, rozpadają się, wydają się składać – plażowe leżaki, które nagle się przekształcają, odzyskują ludzką formę i nawet mają odwagę zmusić się do słabego uśmiechu, kiedy dostrzegają pełne podziwu spojrzenia szacownej

kolista pustka, dźwięczna próżnia rytuału *gnaua* – strefa oczyszczona groźbami bębna w celu uzyskania właściwej odległości dla trzeźwego rygoru jego niezmiennej scenografii – trupa aktorów ustawionych w szereg, nieskazitelnie białe spodenki i bluzy, nogi gładkie, ciemne, o nieskrępowanej i nieodzownej nagości – kolejny derwisz prezentuje swe lśniące uzębienie, wiruje jak pijany na swych bosych stopach, współzawodniczy w tańcu kozaków, szaleńczo chłoszcze przestrzeń wesołym kosmykiem fezu – nieustanne uderzanie grzechotek skłania go do coraz szybszych ruchów i przyspiesza wtargnięcie najstarszego, suchego jak pęk chrustu, ale obdarzonego giętkością i energią absolutnie nietypową dla swych lat – język ciała, którego mięśnie są słowami – nerwy morfologią – stawy składnią – drżenie znaczeniem, komunikat natychmiast rozprzestrzenia się po publiczności, zwyciężają organy zmysłów, przebiegają po skórze niczym łaskotanie, wskrzeszają formę poznania bezpośrednio powiązaną z emocjami
rozkosz słuchowa i wzrokowa, szczęście zmysłów, które wciągają duszę widza i potem się przedłużają znacznie poza koniec spektaklu, tak jak ta lekka mieszanka pełni

i znudzenia człowieka, który właśnie skończył, potajemnie, się kochać

dwóch staruszków o wyglądzie hindustańskich fakirów prezentuje bogaty zestaw swych gratów na wytartym dywanie, który pokrywa terytorium cierpliwie nabyte przez zasiedzenie – różnorodne, zaimprowizowane wazoniki zrobione z butelek, kanistrów z Esso, puszek po mleku w proszku Nido, miednice, kandelabry zakończone plastikowymi różami – niewzruszone na mijanie pór roku, ostry, ciągły, zawzięty atak wściekłego słońca – skomplikowana struktura ich fajek imituje kształt saksofonu, zapach palonego przez nich kadzidła przywołuje na myśl jednocześnie kościół i palenie haszyszu – dziesiątki gołębi, białych, trzepocze się pośród wazonów, upajają się dymem z aromatycznej żywicy, siadają na głowach staruszków, dziobią mozgę z ich sękatych rąk, gruchają, pieszczą gęstwinę ich bród, badają, nigdy nie naruszając magicznej granicy kobierca

potężna czaszka, doskonale ogolona, nigdy nie wyolbrzymiona i masywna, szerokie barki, miedziana skóra, mięsiste usta, mongolskie wąsy spływające po brodzie, zęby wysadzane złotem

Fantomas

Big Boss

Tarzan

Saruh

Antar

Taras Bulba

odznacza się elokwencją i wysokością wśród wszystkich *halaqi* na placu – jego imponująca prezencja i tubalny głos codziennie przyciągają spragnioną publiczność, ujętą jego udawaną arogancją – podparty pod boki, rozstawione nogi, recytuje z pamięci, jak gimnazjalista, geograficzny przewodnik swoich przygód, nieskończony szereg przezwisk – jego wybuchowa wymowa, sugestywna, cięta, zręcznie kultywuje bogactwo mowy ludowej – gwara wolna od ograniczeń, zakazów, cenzury – historie o intrygach, rogach, praśna gramatyka przeplatana wierszami, obscenicznością, surami, złorzeczeniem, wyzwiskami – żarty o tyłkach, brzuchach, fallusach zakończone nagle moralną nauką – między jedną a drugą historią obchodzi koło, każe oddalić się kobietom, chwyta za kark jakiegoś podrostka i odrzuca go od siebie z szorstką i groźną miną – jego blagierstwo zmartwychwstałego Prałata zwiększają i ironizują z przesadą niebezpieczeństwa płciowych przyjemności – kwiecisty gąszcz aluzji, parafraz, eufemizmów ozdobionych złotonośnymi minami, gwałtownymi onomatopejami, szybkimi ruchami pięści ze sterczącym najdłuższym palcem – cudzołóstwo – Tiznit – fellatio – Tafrant – stosunek od tyłu – Warzazat – bez zaniedbywania zasad klasycznego krasomówstwa, pytanie retoryczne skierowane do stronników – zagadka, zagadeczka – jak zdołał zachować swoją cześć młodzieniec Dżuha w noc, w której spał w jaskini sodomitów? – odpowiedź – dzięki przezornej strategii wlania sobie do tylnych kieszeni spodni garnka superrozgotowanego bobu! – powszechny uśmiech, który przeradza się w gest modlitwy, tradycyjnie towarzyszący znanej inwokacji

komu Bóg nie da sił, moi bracia, wynagrodzi go sprytem
– podziwiajmy więc Jego mądrość i złóżmy mu podzię-
kowanie!

warkot bębnów o zmierzchu, kiedy miedziane słońce, za
Kutubiją, uświetnia i podkreśla miejski przepych splen-
dorem pocztowej widokówki – radosna zieleń palm
w publicznym ogrodzie, żywa ochra domów i oficjal-
nych budynków, spokojna atmosfera niezmąconego błę-
kitu, daleki łańcuch Atlasu, zwieńczony przeczystą bielą
– świetlistość, która pobudza i upaja, łączy się z szaleństwem przemów i tańców, przysposabia duszę obcokra-
jowca do pozwolenia sobie na trochę swobody – zanurzony w wielką dziedzinę ustanowioną dla przyjemności
i chwały zmysłów – zaprzątnięty owocnym próżnowa-
niem ludzi krążących w stanie radosnej gotowości – na
pewno – na pewno zostanie przyjęty do gościnnego
i otwartego plemienia – że będzie, w końcu, panem swego ciała i ewentualnym kandydatem, by cieszyć się i po-
siąść ciało sąsiadki albo sąsiada – świadomość piękna,
młodość własna i czyjeś inne pragnienie, i vice versa, co
przekłada się na zaszyfrowany język kaszlnięć, mrugnięć,
uśmiechów – wartości wymierne, w zasięgu każdego, kto
może albo wie, jak zapłacić rachunek – z dala od porządku molekularnego, niezłomnego, wielkiego europej-
skiego miasta przemysłowego – agresja zegara, pośpiech,
godziny szczytu, nieskończona samotność dzielona zderzak w zderzak – podział komórek na niemożliwe do
połączenia jądra, stłoczona izolacja – narzędzia robot
cyfra maszyna bezcielesność, oddalenie, przejrzystość,

równowaga duchowa na antypodach słodkiej swojskości bez granic – królestwo przygód i spotkań, język bioder, telegraf gestów, wesołe półerekcje – pobudzenie wzrokowe i akustyczne przy dotykaniu i badaniu, przy ukradkowym polowaniu, dotyk ręki, która do nikogo nie należy

konkretne braterstwo, materialne, bezpośrednie widzów z kręgu, kontakty fizyczne i wrażliwe w niespokojnym nieładzie *halqa* – ocieranie się nóg i ramion, sporadyczne dotknięcia, ostrożne manewry zbliżeniowe – anteny przeznaczone do wysondowania intencji cichego celu ataku, bez strachu przed spoliczkowaniem czy krzykiem – ze swej strony preludium najgłębszych i najodważniejszych podbojów – dyskretne podchody, nieustające, własnego tułowia do pożądanego tyłu – obfitość ukryta, lecz dostrzegana dzięki stręczycielskiej tkaninie, która przylega i pozwala dopatrzyć się topografii – aby starannie dopasować wypukłości do wklęsłości za radosną zgodą udzieloną przez wspólnika albo przy milczącym poczuciu winy – podkreślić wtedy przymuszenie, utrzymać konieczną bezwzględność w niepokoju oczekiwania – z rękoma w kieszeniach, osłaniając sztywny i naglący przedmiot najazdu – emocje dzielone potajemnie z publicznością, cudownie oszałamiające i silne z racji swego kompletnego utajnienia – świadomość dzielenia sekretu opiewana przez poetów, przyjemność przemieszana z ostrożnością jak chodzenie pośród wydm – miłosne starcie, które poprzez nieprzekraczalną granicę tkaniny rozpala i napina ochotę do granic niemożliwego wrzenia – aż enigmatyczna w kwefie się usuwa, odwraca się na bok i znika pod rękę z rogatym mężem, nie kierując ani jednego spojrzenia na obce ciało, z którym jednak dopiero co się złączyła

stary mim z głową przykrytą blond peruką, podrzuca monety w powietrze, chwyta je w locie, robi magiczne sztuczki, zręcznie oszukuje, szachruje, pozuje przed aparatem jakiejś pary turystów, żąda od nich opłaty za zdjęcia, prosi o pozwolenie pocałowania ich policzków i ledwie musnąwszy policzki męża, powtarza operację, wylewnie, z jego drugą połową, ku radości publiczności, która zna jego ekstrawagancje i głośnym śmiechem nagradza bezczelnego kpiarza

dwóch klownów przedstawia błazeńską scenę o skromnych ambicjach i rudymentarnym przebraniu – ośle uszy, wykrzykiwane dialogi z racji rzekomej głuchoty, uderzenia kijami w powypychane tyłki, nieuzasadnione aluzje i wyzwiska o charakerze ekskrementowym albo seksualnym

kilku muzyków recytuje psalmy celem otrzymania łaski jakiegoś czyniącego cuda *salih* – pełni wigoru fleciści o ciemnej karnacji i szczeciniastych wąsach akompaniują ruchom *zamil* w cienkim kwefie z gazy, haftowanym pasie, kobiecych fatałaszkach, którego mrugnięcia, kołysanie, przymilanie się, uśmieszki wprawiają w zachwyt i rozkosz szacowną skupioną w tym miejscu – parobki, kobiety, dzieci, żołnierze wyciągają dłonie w modlitewnym geście, wtórują chórem modlitwom i aktom strzelistym, bawią się przedstawieniem do głębi, podczas gdy żebrak w turbanie i białym habicie wydziera się wniebogłosy, przesadnie gestykuluje, podtyka ręce, odpędza w kucki kobiety stare i młode, udaje błogosławioną ekstazę, teatralnie rzuca się na ziemię w konwulsjach rzekomej pobożności

ustawiony w środku *halqa* mężczyzna dumnie kołysze kiesą, jakby chciał przystąpić do drobiazgowego wymyślania swych skarbów – gady stopniowo wysuwają swe malutkie głowy, są powiązane za ogony w różnorodne grupy, ciągnął każdy w swoją stronę z niepotrzebną siłą odśrodkową – zaskrońce, jaszczurki, traszki przyjmują, w celu rozpierzchnięcia się dookoła, bezkształtną ruchliwość zwierzęcia o ślepych tropizmach – ich pan umieszcza je w drewnianym pudełku i sprawnym ruchem krawcowej, która wkłada sobie do ust agrafkę, przytrzymuje pomiędzy ustami ogoniastą jaszczurkę, ale zdradziecko żywą, kiedy kończy zadanie, podpiera się, odchyla głowę do tyłu, wstrząsa warkoczem, który wyrasta mu pośrodku ogolonej głowy i, ciągle ze zwierzakiem w ustach, chodzi w koło, machając nożem, którym zwykle operuje na żywo – nagle się zatrzymuje, wyciąga zwierzę z ust, chwyta je, jakby miał zamiar je poddać kolejnej odważnej wiwisekcji, wybucha szaloną recytacją, która jest w połowie modlitwą, a w połowie zaklęciem – receptą przeciw chorobom, urokom, wypadkom, deklamuje z zamkniętymi oczyma, obficie się przy tym śliniąc – ciało nagle nieruchome – a pot spływa mu po twarzy do jego faunowej brody wspaniałego kozła – jak przyciągnąć do siebie kobiety? jak uniknąć ciąży u panny, hańby dla rodziny? – proste, arcyproste – medycyna naturalna, lekarstwo samego Najwyższego – ani prezerwatywa ani pigułka ani przepona ani wyskoczenie w biegu z pociągu – wyciąg z ogona jaszczurki!

gady wiercą się, jakby przeczuwały swe nieszczęsne przeznaczenie – poważny rytuał ich łowcy, po krótkim kołysaniu warkoczem, po odrzuceniu już okaleczonego egzemplarza do kufra ze skarbami, wybór nowej ofiary, wprowadzenie jej do jamy ustnej aż do wysokości tylnych łapek, wykonanie przepisanej liczby okrążeń, powrót do środka koła, wyciągnięcie dłoni w błagalnym geście i, ciach, oderwanie ogona energicznym ugryzieniem, pozwolenie na spłynięcie kilku kropel krwi z kącików ust, wyplucie odciętego ogona, poruszając się jak upiór zebrać hojne datki publiczności

ceremonialnie usadowić się na ziemi, rozłożyć sekrety sfatygowanej walizeczki, narysować kredą wokół magiczny okrąg, wyrecytować modlitwę z wyciągniętymi dłońmi, wyłożyć pęk leczniczych ziół, okazać zebranym tablicę ilustrującą ciążę

wyrecytować liczbę niebezpieczeństw, czających się na kobiece ciało, obwieścić swą wyłączność na posiadanie niezawodnego panaceum, wypowiedzieć formuły zaklęć odpędzających diabła, przedstawić pojemnik z soczyście zabarwionym płynem, wstrząsnąć jego spienioną zawartością, aż przeleje się z butelki, powoli wlać go ciurkiem do szklanki, ale jej nie napełnić

dosypać proszku z mocnego talizmanu, zamieszać otrzymaną miksturę starą łyżką, dodać początki obfitego ślinienia się, podać mieszankę do ust pierwszej z brzegu nieszczęśniczce, położyć jej dłonie na głowie, kiedy chciwie ją połyka

zdrowie, szczęście, miłość męża za skromną cenę jednego dirhama, podczas gdy kobieta oddala się z wyrazem skupienia na twarzy, jakby właśnie przystąpiła do komunii

żyć, dosłownie, z opowiadania – z opowiadania, które jest tym, ni mniej, ni więcej, które nigdy się nie kończy – bezcielesna dźwięczna budowla w nieustającej de(kon)-strukcji – płótno Penelopy tkane, prute dzień i noc – zamek z piasku mechanicznie zmyty przez morze

służyć publiczności, zawsze głodnej, opowiadaniem historii na znany temat – utrzymywać ich napięcie pobudzoną wyobraźnią – posłużyć się, jeśli zajdzie potrzeba, podstępami i sztuczkami mima – zmieniać rejestry tonów od basu do tenoru

słuchacze tworzą półkole wokół sprzedawcy snów, chłoną jego zdania z hipnotyczną uwagą, całkowicie oddają się spektaklowi jego różnorodnej mimetycznej działalności – onomatopeja kopyt, ryczenie dzikich zwierząt, piszczenie głuchych, falset starych, tubalny głos olbrzymów, płacz kobiet, szept karłów – czasem przerywa opowiadanie w punkcie kulminacyjnym i niepokój pojawia się na twarzach zdumionych dzieci w niepewnym świetle oliwnej lampy – podróże i czyny Antara, diabelstwa Aiszy Debbana, anegdoty o „Harunie ar-Raszidzie" zapraszają publiczność do aktywnego udziału, działają na nią jak psychodrama, tworzą poprzez grę identyfikacji i antagonizmów podstawy swej embrionalnej zażyłości – kiedy Dżuha staje na scenie ubrany i nagi, pieszo i kon-

no, śmiejąc się i płacząc, wybuch świeżego śmiechu nagradza jego sztukę i niebywale przemyślną psotę sułtana
– idealne królestwo, w którym przebiegłość otrzymuje re-
kompensatę, a grubiańska siła karę, utopia sprawiedliwego boga o głębokich i prawych zamysłach – konieczne
antidotum na biedne i bose życie, niezaspokojony głód,
niegodziwą rzeczywistość – znużony oszust wie o tym,
i syci, elokwentny, ich pragnienie przygód – skrzaty
w dżellabach są jego jedynym źródłem dochodów – powoli, z cierpliwością pająka, oddzieli ich od świata – zamknie w lekkiej bańce – w jego subtelnym, niewidzial-
nym więzieniu utkanym ze słów

uwolnienie dyskursu, wszystkich dyskursów przeciwnych wobec dominującej normalności – zniesienie nie-
ugiętej ciszy narzuconej przez prawo, przesądy, zwyczaje
– w nagłym zerwaniu z dogmatami i oficjalnymi nakaza-
mi – głos autorytarny ojców, mężów, wodzów, nadwor-
nej rady plemienia – mowa swobodna, wyrwana z ust
gwałtem, tak jak się wyrywa węża silnie przywartego do
wnętrzności – elastyczna, gardłowa, szorstka, plastyczna
– język, który się rodzi, skacze, wyciąga się, wspina, mar-
nieje – niekończący się makaron, nić, serpentyna, jak
w znanej sekwencji Chaplina – możliwość opowiadania,
kłamania, wymyślania, wylania tego, co się kryje w móz-
gu i brzuchu, sercu, waginie, jądrach – mówić i mówić co
rychlej, całymi godzinami – wyrzygać sny, słowa, historie, aż zostanie się pustym – literatura w zasięgu analfa-
betów, kobiet, prostaczków, pomyleńców – wszystkich,
którzy tradycyjnie byli pozbawieni możliwości wyrażania

fantazji i trosk – skazani na milczenie, uległość, ukrywanie się, komunikowanie się szeptami i znakami – pod osłoną nieformalnej neutralności miejsca – bezkarności kuglarza, który beszta zza zwodniczej maski śmiechu – kaznodzieje bez ambony ni trybuny ni pulpitu – opanowani nagłym szaleństwem – szarlatani, oszuści, gaduły, wszyscy opowiadacze

zapada noc – kiedy rynek pustoszeje i tancerze, bębny, rapsodyści, fleciści odchodzą, dosłownie, z muzyką w inne miejsce – stopniowe rozpraszanie się kręgów, tłum pracowity i niespokojny, jak ul zagrożony zniszczeniem – powolne pojawianie się pustych przestrzeni, zagmatwana pajęczyna skrzyżowań i spotkań na przestrónnej i mrocznej esplanadzie – kobiety ze spuszczonymi głowami cierpliwie czekają, siedząc w kucki, na późny objaw miłosierdzia – inne włóczą się po kryjomu, znakami ustalają randki – sklepiki i bazary zwijają swe zapasy, a naftowe lampy teatralnie oświetlają nowe punkty zbieżności i spotkań – naprędce sklecone jadłodajnie, ruchome kuchnie, sprzęty i piecyki gotowe do kolacji – zapachy smażeniny i zup, kminu, herbaty z miętą, które podsycają apetyt przechodnia i przyciągają go do bocznych ławek przy wybranym przez siebie kramie

szereg rozjaśnionych szynków wyświetlanych przez magiczną latarnię – ilustracje z jakiejś dawnej edycji *Tysiąca i jednej nocy* z kupcami, mędrcami, rzemieślnikami, chłopakami z apteki, studentami Koranu namalowanymi na tle kotłów z czorbą, pieczonych szaszłyków, dymiących patelni, koszyków z owocami, misek z oliwkami, szkarłatnych sałatek, z precyzją i drobiazgowością pozbawioną cieniowania – postrzeganie wszechświata poprzez obrazy Szeherezady albo Aladyna – cały plac sprowadzony do jednej książki, której lektura wypiera rzeczywistość

pusta scena, szeregi zamkniętych budek, resztki z rynku, papiery niesione wiatrem, ekskrementy i łupiny owoców, bezpańskie psy, żebracy śpiący z przedramionami na kolanach i upokorzonym kapturem burnusu
lektura palimpsestu – kaligrafia, która latami dzień w dzień się zamazuje i pisze na nowo – nietrwała kombinacja znaków o niepewnej informacji – nieskończone możliwości gry, poczynając od pustej przestrzeni – czerń, czczość, nocna cisza jeszcze niezapisanej strony

Aneks

Przybyły z tego świata

Doubles pénétrations, jeunes filles en chaleur - le rythme maxi-porno des scènes vous fera jouir! - (franc.) obustronna penetracja, dziewczęta w gorączce młodości, rytm maksi-porno rozbawi cię!

daiman el-flus - (arab.) ciągle pieniądze

un fou probablement, qu'est-ce qui peut se passer dans sa tête - (franc.) pewnie wariat, co mu może przyjść do głowy

tu ne crois pas qu'il faudrait prévenir le Commissaire? - laisse tomber, on a presque fini, je veux rentrer à l'heure - (franc.) Jak myślisz, może zawiadomić Komisarza? Zostaw go, już prawie koniec, chcę wrócić na czas.

tu as vu sa tête, papa? - oui, mon petit, c'est rien, ne le regarde pas comme ça, c'est mal élevé - (franc.) widziałeś jego głowę, tato - tak, kochanie, to nic, nie patrz tak na niego, to nieładnie

Salut et guérison - (franc.) Zbawienie i uzdrowienie

oui, mon pauvre ami, Dieu pense à vous, Il vous veut du bien, Il se soucie de votre salut, laissez-Le donc rentrer dans

214

votre coeur! - votre maladie peut être le péché de votre âme, mais de même qu'Il a guéri le lépreux, de même Il vous pardonera chaque péché, si vous Lui faites appel - croyez moi, rien n'est impossible avec le Seigneur! - (franc.) tak, mój biedny przyjacielu, Bóg myśli o tobie, On chce twojego dobra, On dba o twoje zdrowie, pozwól Mu wejść do swojego serca! - twoja choroba może być grzechem twojej duszy, lecz tak jak On uleczył trędowatego, tak samo odpuści ci twój grzech, jeśli się do Niego uciekniesz - uwierz mi, z Panem nie ma rzeczy niemożliwych!

ma bghit uallu mennek, smaati? - (arab.) nic od ciebie nie chcę, słyszysz?

naal d-din ummek! - (arab.) przeklinam religię twojej matki!

ça alors! - j'ai jamais vu une chose pareille! - ils se croient tout permis! - frapper publiquement une femme! - oh, vous savez, chez eux, je les connais bien, j'ai vécu quinze ans là-bas! - avez-vous besoin de quelque chose, Madame? - c'est rien, Monsieur, c'est rien, un pauvre malheureux, il n'est pas sain d'esprit, on peut pas lui tenir rigueur de son geste! - (franc.) a to dopiero! - nigdy nie widziałem czegoś podobnego! - oni myślą, że wszystko im wolno! - publicznie uderzyć kobietę! - och, wie pan, tam u nich, znam ich dobrze, byłem tam przez piętnaście lat! - pomóc pani, proszę pani? - wszystko w porządku, proszę pana, to nic, biedny nieszczęśnik, on nie ma zdrowego ducha, nie można go winić za to, co zrobił!

à pleins sexes, dechaînment charnels, les jeunes baiseuses - interdit aux moins de 18 ans - (franc.) pełnia seksu, burza zmysłów, młode pieszczotki. Wzbronione dla osób nie-pełnoletnich (poniżej 18 lat)

L'horrible cas du docteur X – (franc.) Straszliwy przypadek doktora X

oh, comme elle est jeune! – (franc.) och, jaka ona jest młoda!

patiente un peu, chéri, je vais lui tirer tout son sang! – (franc.) odrobinę cierpliwości, kochanie, zaraz wyciągnę z niej całą krew!

Anioł

błękitny człowiek – tak określa się w Maroku mieszkających na pustyni beduinów

Tercio – (hiszp.) hiszpańska legia

áscaris – (hiszp.) żołnierze piechoty

Morski cmentarz

ra hwa, faín hwa?, rah, rah, hda el-hanut d-dujan, ma katszufsz ż-żellaba żdida?, daba aad szuftu – (arab.) tam jest, tam, w kiosku Juana. Nie widzisz nowej dżellaby? Właśnie ją zobaczyłem

halqa – (arab.) krąg ludzi słuchających historii, *halaqi* to kuglarz, opowiadacz historii

l'Union, el mataam el-Hurrija – (arab.) Restauracja Wolność *ed-derb* Sebbahi – (arab.) zaułek Sebbahi

zamil (lm. *zumala*) – (arab.) chłopak, kolega. W dialekcie marokańskim słowo to nabrało znaczenia raczej pejoratywnego, określa się nim homoseksualistę

salih – (arab.) święty

Sic transit gloria mundi

regarde-moi ça, elle este encore ici, qu'est-ce qu'elle fout la gardienne, crois-tu que les mecs sont aveugles? – (franc.) no popatrz, ona tu jeszcze jest, po prostu kpi sobie ze strażniczki, myślisz, że metecy są ślepi?

alors tu nous laisses la place? – (franc.) możesz zwolnić nam miejsce?

tu ferais mieux de prendre ta retraite! – (franc.) lepiej przejdź na emeryturę!

eh, toi, la vieille, pose bien ta perruque, tu ne vois pas qu'elle dégringole? – (franc.) ej, ty, stara, popraw sobie perukę, nie widzisz, że ci się zsunęła?

espahís – (arab.) żołnierze lokalnej kawalerii

plutôt un voile moucheté en polyester, un léger volant de dentelle qui soligne l'effet d'empiècement du corsage, le décolleté, le bas de manches et la taille – une jupe très ample à peine plongeante, coiffe et bouquet de muguet et de roses – (franc.) raczej lekki, cętkowany welon z poliesteru, koronkowa falbanka, wstawka przy gorsie, dekolt – szeroka spódnica, przy kapeluszu bukiecik z konwalii i róż

dis donc, qu'est-ce que tu marmonnes? – (franc.) no więc? co tam mruczysz pod nosem?

toi, fous-moi le camp! – (franc.) ej, ty, odwal się!

regardez-moi la Doyenne! – elle parle toute seule! – (franc.) siostro przełożona, proszę spojrzeć, ona mówi sama do siebie!

seule? – la seule c'est bien toi, ma pauvre fille! – (franc.) sama? sama to jesteś ty, moja biedaczko!

robe en coton blanc imprimée de fleurettes à décolleté bateau – (franc.) suknia z białej bawełny w kwiatki, z dekoltem marynarskim

alors tu ne veux pas? – tant pis pour toi! – (franc.) to co, nie chcesz? – tym gorzej dla ciebie!

encolure en pointe largement échancrée, taille haute, garniture de tuyautés, jupe à panneau droit devant et ampleur plongeante dans le dos, manches volantées, coiffe, bouquet de petites anémones – (franc.) głęboki, ostro zakończony dekolt, talia podniesiona, rurkowane ozdoby, spódnica z klinem, rękawy z falbanką, kapelusz, bukiecik z małych sasanek

venez voir ce que lit la mémé! – un prospectus de Pronuptia, la Maison du Bonheur! – elle veut se marier en blanc! – (franc.) spójrzcie, co czyta babunia, prospekty Pronuptia, Dom Szczęścia, ona chce brać ślub na biało!

halwa (lm. *halwaat*) – (arab.) słodki, podlotek

fukija (lm. *fukijaat*) – (arab.) lekkie ubranie wierzchnie, do pół ud

tu viens, mon gars? – (franc.) idziesz, mój chłopcze?

Dar Debbagh

lasciate ogni speranza, voi ch'entrate – (wł.) napis znajdujący się nad wejściem do piekieł w *Boskiej komedii* Dantego: Porzućcie wszelką nadzieję wy, którzy tu wchodzicie

voici le quartier des tanneurs, Messieurs-dames, the old, local color tannery – (franc. i ang.) oto dzielnica garbarni, proszę państwa, stara lokalna garbarnia

naal d-din ummhum – (arab.) sram na ich matki

xinná – (arab.) sunna (zbiór obyczajów i praktyk islamu opartych na słowach i czynach Mahometa)

oh, dear, look down the men, it's just unbelievable! – (ang.) och, kochanie, popatrz na tych ludzi, to nieprawdopodobne

iwa, el-khal ka idrabini, jak? ida bhiti tszuf ahsan ma-tchafsz, aży hdana! – (arab.) patrz, Murzyn mnie rżnie, widzisz? jeśli chcesz lepiej widzieć, nie bój się, podejdź do nas!

ja ibaad Allah, ghituni – (arab.) pomóżcie mi, wierni

watch the freak, it would be perfect for the sketch, you could show him on the stage! – (ang.) popatrz na tego cudaka, doskonale nadałby się do twojego numeru, możesz go pokazać na scenie!

vú parlé fransé? – (franc. niepoprawnie) mówi pan po francusku?

venir avec nú, you understand? – nú aller vú payer – tien, that's your flus! – (franc., ang., arab.) chodź z nami, rozumiesz? – zapłacimy ci – trzymaj, to twoja forsa

Le salon du mariage

vite, dépêche-toi, regarde la queue, peut-être qu'ils vont fermer le guichet avant qu'on y arrive! – (franc.) szybko, pospiesz się, patrz na kolejkę, mogą zamknąć kasę, zanim przyjdziemy

excusez-moi, quel est le prix de l'entrée pour les jeunes filles? – (franc.) przepraszam, ile kosztuje wejście dla młodej dziewczyny?

je ne sais pas, mais je crois que c'est dix francs pour tout le monde sauf le moins de sept ans – (franc.) nie wiem, ale myślę, że dziesięć franków dla wszystkich, oprócz dzieci poniżej siedmiu lat

ah, bon, alors il n'y a pas de demi tarif pour moi? – (franc.) ach, więc nie będzie dla mnie zniżki?

voici notre carte et documentation, c'est vous les futurs mariés? la cérémonie est prévue pour quand? – *voici la fiche d'inscripcion, c'est pour vous?* – (franc.) oto nasza wizytówka i dokumentacja, czy to – państwo jesteście przyszłymi małżonkami, na kiedy jest przewidziana ceremonia? – oto karta zgłoszeniowa, to dla pani?

oui, mademoiselle – (franc.) tak, proszę pani

voulez-vous que je vous la remplisse? – (franc.) czy mam wypełnić?

oui, s'il vous plaît – (franc.) tak, bardzo proszę

votre nom? – (franc.) imię?

je vais vous l'épeler, car c'est difficile – *ele-a-ef-o-double ele-a* – *comme la folle, mais avec un a à la fin* – (franc.) przeliteruję pani, bo jest trudne – el-a-ef-o-el-el-a – jak folle, ale z a na końcu*

prénom? – (franc.) nazwisko?

je n'ai pas de prénom, chez nous ça n'existe pas, vous savez? – on a un nom, et c'est tout!- c'est beaucoup plus pratique! – (franc.) nie mam nazwiska, u nas nazwiska nie istnieją, wie pani? – ma się jedno imię i już – tak jest praktyczniej!

et votre fiancée? – (franc.) a pana narzeczona?

mon fiancé, mademoiselle – (franc.) mój narzeczony, proszę pani

oh, votre fiancé! – (franc.) ach, narzeczony!

Ahmed, il s'appelle Ahmed, il est militaire, voici sa photo – (franc.) Ahmed, nazywa się Ahmed, jest żołnierzem, oto jego zdjęcie

il est beau, n'est-ce pas? – (franc.) przystojny, prawda?

oui, très beau – enfin voilà la fiche – vous pouvez la compléter vous-même et nous l'envoyer par la poste sans besoin de l'affranchir – (franc.) tak, bardzo przystojny – cóż, proszę formularz, może go pani wypełnić sama i przesłać nam pocztą, nieodpłatnie

merci beaucoup, mademoiselle - et ça? – (franc.) dziękuję, pani – a to?

c'est le Guide des Futurs Époux – (franc.) to jest „Przewodnik Przyszłych Małżonków"

je peux en prendre un? – (franc.) mogę wziąć jeden?

---

* Folla to w hiszpańskim slangu tyle co „rżnięcie".

allez-y, il est à vous – (franc.) proszę, to dla pani

oh, comme vous êtes charmante! – (franc.) ach, pani jest bardzo miła!

Rencontre entre les deux familles pour fixer la date et mettre au point tous les détails matériels concernant le mariage et l'installation du jeune ménage

Pour une cérémonie réligieuse, aller à l'église pour s'enquérir de toutes les pièces à produire et des démarches à faire

établir votre „liste de mariage"

Choisir les témoins, demoiselles d'honneur et les pages, s'assuer de leur accord, prévoir leur tenue

– (franc.) Spotkanie dwóch rodzin celem wyznaczenia terminu i uporządkowania wszelkich szczegółów, dotyczących zawierania związku i urządzenia się młodych małżonków

Jeśli chodzi o ceremonię religijną, radzimy pójść do kościoła i dowiedzieć się, jakie kroki należy poczynić

Założyć własną „listę ślubną"

Wybrać świadków, druhny, paziów, upewnić się co do ich zgody, przewidzieć ich zachowanie

oh, comme c'est joli, il te faudrait un complet comme ça, au fond ce n'est pas cher, ils font du crédit, tu sais? on peut toujours le payer à tempéraments! – (franc.) o, jakie to ładne, przydałby ci się taki zestaw. I wcale nie drogi, dają tu kredyt, wiesz? zawsze można coś wziąć na raty!

ça pousse si vite! comment faites-vous pour vous épiler le visage? – (franc.) tak szybko odrastają! jak sobie poradzić z depilacją twarzy?

Retenir la salle dans l'établissement où sera fait le lunch ou le repas du mariage

Commander le faire-part à l'imprimeur

Réserver définitivement le logement et prévoir l'équipement nécessaire – mobilier, cuisine, électroménager, literie, textiles d'amueblement, etc. Faire établir un devis aux fornisseurs. N'hésitez pas à examiner le plus grand nombre possible de propositions. Souvenez-vous – le dernier mot vous appartient!

– (franc.) Zamówić salę w miejscu, gdzie przygotowany będzie lunch albo uczta weselna

Zamówić zaproszenia w drukarni

Zarezerwować pomieszczenie i przewidzieć niezbędne zaopatrzenie co do kuchni, wyposażenia elektrycznego, pościeli, umeblowania etc.

Wystawić rachunek stręczycielom. Nie wahajcie się zbadać jak największej liczby propozycji. Pamiętajcie – ostatnie słowo należy do was!

Préparer le voyage de noces et faire les réservations

Vérifier passeports et vaccinations s'il y a lieu

Choisir les alliances afin de pouvoir les faire graver

Votre armoire de linge de maison est-elle suffisamment garnie?

Avez-vous le nécessaire en linge de lit, linge de table, linge de toilette, linge de cuisine?

– (franc.) Przygotować podróż poślubną i załatwić odpowiednie rezerwacje.

Sprawdzić, czy w porządku są paszporty i świadectwa szczepień, jeśli takowe miały miejsce

Wybrać obrączki, aby móc je zanieść do grawera

Czy wasza domowa bieliźniarka jest wystarczająco wyposażona? Czy posiadacie to, co niezbędne, jeśli chodzi o bieliznę pościelową, stołową, łazienkę i kuchnię?

mon fiancé ne connait pas l'année de sa naissance – (franc.)
mój narzeczony nie zna swojej daty urodzenia

il est africain – (franc.) jest Afrykaninem

il n'a que la réclamer à la mairie – (franc.) trzeba tylko
poprosić w merostwie

*mon Dieu, quel pari, s'unir pour toujours à un homme bleu
sans savoir si nos astres sont vraiment compatibles!* – (franc.)
mój Boże, co za numer, połączyć się na zawsze z ciem-
noskórym, nawet nie wiedząc, czy nasze horoskopy są
naprawdę zgodne ze sobą!

*Et pourquoi ne pas construire votre pavillon
immédiatement? Parce que vous n'avez pas assez d'argent,
dites-vous? N'êtes-vous pas mal informés? Des facilités que
vous n'aurez plus après, sont accordées uniquement dans les
deux ans de votre mariage*
– (franc.) A może by natychmiast postawić dla was
dom? Mówicie, że brak wam pieniędzy? Chyba ktoś was
źle poinformował? Ulgi, których nie będziecie mieli później, są przyznawane tylko w ciągu dwóch lat po zawar-
ciu małżeństwa

Etre chez soi pour le prix d'un loyer, c'est possible! – (franc.)
Być u siebie za cenę jednorazowego czynszu? to jest możliwe!

*S'assurer du financement indispensable, faire la demande
de crédit nécessaire. Le prêt d'État de 6.000 F remboursable
en 48 mensualités égales de 125 F sans interêt, peut-être sollicité
dès la publication des bans* – (franc.) Trzeba się ubezpieczyć,
to nieodzowne, i złożyć podanie o kredyt

mademoiselle? - combien fait cette bague? - (franc.) proszę pani? - ile kosztuje ten klejnot?

2.850 francs, mais vous profitez pendant toute la semaine d'un 20% de réduction - (franc.) 2850 franków, ale przez cały tydzień oferujemy zniżkę 20%

elle est bien trop large pour vous! - (franc.) jest dla pani za duży!

elle n'est pas pour moi, mademoiselle - je cherche une alliance pour mon fiancé - (franc.) on nie jest dla mnie, proszę pani - szukam obrączki dla mojego narzeczonego

ah, bon, connaissez-vous ses mesures? - (franc.) ach tak, zna pani jego rozmiar?

elles sont inoubliables, mademoiselle! - (franc.) trudno go zapomnieć, proszę pani!

tu as vu, papa? la dame n'a pas rasé sa barbe! - (franc.) widziałeś, tato? pani się nie ogoliła!

tais-toi, morveux! - (franc.) cicho bądź, smarkaczu!

Préparer la liste de mariage. Ce n'est pas de mauvais usage, tout au contraire, de la répair dans plusieurs magasins spécialisés

Demander au commerce de cadeaux où la liste a été envoyée de prévenir parents et amis éloignés que vous n'avez encore pas au l'occasion d'informer personnellement. Nous serons heureux de déposer dans votre corbeille de Mariés votre premier cadeau - une réduction „nouveaux mariés" de 50%!

- (franc.) Przygotować „listę ślubną". To nie jest zły zwyczaj, wręcz przeciwnie, stosuje się to w wielu wyspecjalizowanych sklepach

Zażądać w sklepie z prezentami, do którego posłano listę, aby uprzedzili rodziców i dalekich przyjaciół, których jeszcze nie mieliśmy okazji poinformować osobiście. Będziemy szczęśliwi, mogąc zostawić w waszym koszyku dla nowożeńców pierwszy prezent: 50-procentową zniżkę dla młodych małżonków.

Choisir le menu et demander confirmation des prix au traiteur

Chercher un photographe, assurer le reportage de la cérémonie au magnétoscope, organiser votre réception et votre voyage de noces

Prendre rendez-vous chez le notaire pour le consulter sur le Régime Matrimoniale

– (franc.) Wybrać potrawy i poprosić o potwierdzenie cen przez powołaną do tego osobę. Postarać się o fotografa, zamówić reportaż wideo z uroczystości. Zorganizować przyjęcie i podróż poślubną. Spotkanie z notariuszem – konsultacja w spr. stanu majątkowego.

chajma - (arab.) namiot

qu'est-ce que c'est? – (franc.) co to jest?

une sorte de tente, mais beaucoup plus large – (franc.) rodzaj namiotu, ale większy

pour faire du camping? – (franc.) do spania na kempingu?

non, pour y vivre dedans - comme celles des cheikhs dans le désert - vous avez vu le film de Valentino? – (franc.) nie, żeby w nim mieszkać – jak te szejków z pustyni – widział pan film z Valentino?

c'est dommage! le décor est charmant! – (franc.) jaka szkoda! dekoracje są cudowne!

vous êtes venu ici pour me parler de cinéma? – (franc.) przyszła tu pani, żeby mi opowiadać o kinie?

je cherche une orientation – (franc.) szukam porady

allez-vous faire orienter ailleurs! – on n'a rien à foutre avec des gens de votre acabit! – (franc.) niech pani idzie poszukać porady gdzie indziej! – nie musimy pracować z ludźmi pani pokroju!

je dirai à mon fiancé combien vous êtes insolent! – vous aurez bientôt de ses nouvelles! – (franc.) powiem mojemu narzeczonemu, jaki pan jest bezczelny! niedługo pan o nim usłyszy!

Songe qu'avant d'unir nos
têtes vagabondes, nous avons
vécu seuls, sépares, égarés
et que c'est long, le temps
et que c'est grand
le monde
et que nous aurions pu ne pas
nous rencontrer
– (franc.) Widzę nas we śnie samotnych
żyjących z dala od siebie
jeszcze się nie złączyły
nasze głowy włóczęgów
tak bardzo dłuży się czas
taki szeroki jest świat
mogliśmy się w nich nigdy
nie odnaleźć

c'est vrai ça! - mon fiancé vit loin, très loin, en Afrique! - si je n'avais pas fait une tournée artistique dans les casernes des méharistes nous ne nous serions jamais connus! - vous vous rendez compte de la chance merveilleuse qu'on a eue? - (franc.) to prawda - mój narzeczony mieszka daleko, bardzo daleko, i gdyby nie te moje podróże artystyczne do koszar *mehara*, nigdy byśmy się nie poznali, zdaje pani sobie sprawę, jakie cudowne mieliśmy szczęście?

madame, vous avez une minute? - je voudrais vous poser une question - (franc.) proszę pani, czy ma pani chwilkę? - chciałabym zadać pytanie

allez-y, je vous écoute - (franc.) tak, słucham

j'ai déjà choisi mon fiancé - je l'aime et il m'aime aussi - mais nous ne connaissons pas encore nos gouts, nos affinités - je ne comprends même pas un mot de son dialecte! - alors je voudrais savoir s'il pourrait se mettre éventuellement en contact avec vous - (franc.) już wybrałam narzeczonego - kocham go i on też mnie kocha - ale nie znamy jeszcze naszych upodobań i gustów - nawet nie rozumiem ani słowa z jego dialektu! - dlatego chciałabym wiedzieć, czy on ewentualnie może się z wami skontaktować

Androlatra

wadi - suche łożyska rzek, okresowo napełniające się wodą, element rzeźby terenu na pustyni
zahorí - (arab.) różdżkarz

Sightseeing-tour

the vitality of many bloods - the imaginative efforts of industrial leaders - a concentration of natural resources and financial wealth - a fortunate geographical formation and location - all of these assets contribute to the character of the present day city - (ang.) witalność wielu krwi – wysiłek wyobraźni wielu liderów przemysłowych – skupienie surowców naturalnych i finansowego bogactwa – sprzyjające ukształtowanie geograficzne i położenie – wszystkie te elementy wpłynęły na charakter dzisiejszego miasta

here, the pistons of technological development accelerated during the twentieth century and maintained their rhythm even during the depression years - shafts of steel, sheaths of glass, thrust of concrete gradually reshaping their architectural contours - these reflect the spirit of a city founded upon ideas - new concepts with which to experiment, and proven ones deserving of innovation - (ang.) tutaj, tłoki technologicznego rozwoju przyspieszyły podczas dwudziestego wieku i utrzymały swój rytm nawet podczas lat kryzysu – stalowe wały, płyty szkła, bloki betonu stopniowo przekształcały jego architektoniczne zarysy – odzwierciedla to ducha miasta założonego na pomysłach – nowych ideach, które poddawaliśmy eksperymentom i które dowiodły, że zasługują na innowację

technological advances consistently originate in our industry - non manufacturing enterprises presently thrive and increase in a most encouraging environment - all of these efforts and ventures project the city squarely into the exciting business of anticipating tomorrow - in addition to supplying many of the materials that sustain today's civilization, this capital commits itself to a kind of permanent transition, forever seeking imaginative and resourceful responses to a changing community, nation and world – (ang.) postęp technologiczny stale biorący swój początek w naszym przemyśle – nieprodukcyjne przedsięwzięcia obecnie prosperują i wzrastają w niebywale sprzyjającym środowisku – wszystkie te wysiłki i przedsięwzięcia prowadzą miasto ku wspaniałemu działaniu wyprzedzającemu dzień jutrzejszy – poza faktem dostarczania wielu materiałów utrzymujących dzisiejszą cywilizację, ta stolica znajduje się w swego rodzaju permanentnym okresie przejściowym, nieustannie poszukuje kreatywnych odpowiedzi dla zmieniającej się społeczności, narodu i świata

it exports steel, aluminium, glass, coal, iron, food products, know-how, and football players – it creates new talent, new ideas and new industries – it's a city of contrasts – the present is the cornerstone for the future, and the excitement today revolves around the ambitious plans the people have for their community – it is an amazingly young man! – and if our citizens have anything to do with it, it will grow younger and stronger the older he gets! – (ang.) eksportuje stal, aluminium, szkło, węgiel, żelazo, produkty spożywcze, wiedzę i piłkarzy – produkuje nowe talenty, nowe idee i nowy przemysł – to miasto kontrastów – dzień dzisiejszy jest progiem przyszłości, i podniecający dzień dzisiejszy kręci się wokół planów, jakie ludzie mają wobec swojej społeczności – to zaskakująco młody człowiek! – i jeśli nasi obywatele mają z nim coś wspólnego, będzie się stawał coraz młodszy i silniejszy w miarę upływu lat!

as you will observe, our reputation as an industrial center is matched by our growing ability to entertain, to enlighten, to provide diversions for all ages and interests - within a compact city the vacationer, the businessman and the entire family find easy access to a variety of exceptional leisure pastimes – (ang.) jak państwo zauważą, nasza reputacja jako centrum przemysłowego jest związana z naszą wzrastającą zdolnością do zabawy, oświecania, dostarczania rozrywki dla wszystkich, w zależności od wieku i zainteresowań – w zwartym mieście urlopowicze, biznesmen i cała rodzina znajdują łatwy dostęp do różnorodnych form spędzania wolnego czasu

few places of the world enjoy topographies as spectacular as our's - the city's triangular formation on three rivers, the Allegheny, the Monongahela and the Ohio, creates an unforgettable visual experience - an observation deck fashioned by nature rises 600 feet above the rivers to present an extraordinary 17-mile wide panorama of the city - some of our most glamorous restaurants and cocktail lounges reside atop Mt. Washington and they enhance luncheon or dinner with an exciting view - on evenings, from May through October, an illuminated fountain froths at the Point – (ang.) niewiele miejsc na świecie może cieszyć się tak wspaniałą topografią jak nasza – położenie miasta w trójkącie pomiędzy trzema rzekami: Allegheny, Monongahela i Ohio, stworzyło niezapomniane wrażenie wizualne – platforma obserwacyjna utworzona przez naturę wznosi się 600 stóp ponad rzekami, aby dostarczyć niebywałej 17-milowej panoramy miasta – niektóre z naszych najznamienitszych restauracji i koktajlbarów znajdują się na szczycie Mt. Washington i łą-

czą obiad lub kolację ze wspaniałym widokiem – wieczo-
rami, od maja do października, oświetlona fontanna
wytryska na Szczycie

*people travelling to the city from Parkway West pass thro-
ugh the Fort Pitt Tunnel and onto the Fort Pitt Bridge, which
makes the downtown's most impressive gateway, arching its
framework suddenly against the vertical splendour of teh
Golden Triangle – the Hilton Hotel faces the bridge – Gateway
Center buildings rise in the background – top right – our oldest
structure, the Blockhouse of Fort Pitt attracts the history
students to Point State Park – across the Alleghany River, the
Three Rivers Stadium creates contemporary contrast –* (ang.)
ludzie podróżujący do miasta z Parkway West przejeż-
dżają przez Fort Pitt Tunnel na Fort Pitt Bridge, który
stanowi najbardziej niesamowitą bramę wjazdową do
miasta, nagle wyginając łuk swej konstrukcji na tle pionowej wspaniałości Golden Triangle – Hilton Hotel stoi
naprzeciw mostu – Gateway Center wznosi się w tle –
u góry po prawej – nasza najstarsza budowla, Blockhouse
of Fort Pitt przyciąga studentów historii do Point State
Park – po drugiej stronie rzeki Allegheny, Three Rivers
Stadium tworzy współczesny kontrast

*crème vichyssoise, soufflé de barbue aux coulis d'écrevisse,
filet de boeuf aux truffes, charlotte aux framboises –* (franc.) ser
śmietankowy, suflet z ryby, zupa rakowa, befsztyk
z truflami, szarlotka z malinami

*in this compact city a tourist may reach any important
downtown destination by walking if he wishes – on the way, he
may purchase from, or simply browse trough, the world market*

of synthetic foods - he may choose from a variety of fine restau-
rants, some with breathtaking views of the area - in planning
our changing scene, we consider the well-being of our citizens
and our guestss! – (ang.) w tym zwartym mieście turysta
może dotrzeć do każdego ważnego miejsca w centrum
pieszo, jeśli ma taką ochotę – po drodze może zrobić
zakupy, albo po prostu przejść się po światowym rynku
syntetycznej żywności – może wybrać z szeregu znakomitych restauracji, a widok stamtąd zapiera dech w piersiach, planując zmieniającą się scenerię, mamy na uwadze dobre samopoczucie naszych obywateli i gości!

this Gateway Center skyscraper wears its skeleton of high
strenght special alloy steel on the outside - it functions as
headquarters for the United Steelworkers of America - the most
recent addition to the Gateway complex is the world
headquarters building of Westinghouse Electric Corporation –
(ang.) drapacz chmur Gateway City Center posiada
szkielet o wielkiej wytrzymałości ze specjalnych stopów
stali na zewnątrz – jego zadaniem jest mieszczenie świa-
towego kierownictwa Westinghouse Electric Corporation

The United States Building is sheathed in Cor-Ten, the
corporation's special steel that weathers to form its own protec-
tive coating - the 64-story structure incorporates pace-setting
engineering innovations and includes a rooftop restaurant
with a city-wide view - two octogonal towers with a common
core which at once conserves energy and includes the life safety
system of tomorrow - at right, the modernity of National Bank
Building and One Oliver Plaza reaches for future's skies

– (ang.) United States Building jest pokryty Cor-Ten, specjalną stalą z tej korporacji, która stanowi swą własną warstwę ochronną – w 64-piętrowej konstrukcji wykorzystano najnowsze osiągnięcia inżynierii i umieszczono na jej dachu restaurację z szerokim widokiem na miasto – dwa ośmiokątne wieżowce ze zwyczajnym rdzeniem, które jednocześnie oszczędzają energię i zawierają system bezpieczeństwa przyszłości – po prawej nowoczesność National Bank Building i One Oliver Plaza sięgają nieba przyszłości

the retractable stainless steel dome of the Civic Arena and Exhibit Hall is 415 feet in diameter and 135 feet at its apex – the Arena serves as a sports center during hockey, tennis and college basketball seasons – ice shows, industrial exhibits and musical occasions of many kinds are also presented here – (ang.) chowana kopuła z nierdzewnej stali Civic Arena i Exhibit Hall ma 415 stóp średnicy i 135 stóp wysokości w najwyższym punkcie – Arena służy jako centrum sportowe podczas trwania sezonów hokeja, tenisa i uniwersyteckich rozgrywek koszykówki – pokazy jazdy na lodzie, wystawy przemysłowe i koncerty różnego rodzaju także się tu odbywają

city of hills, valleys, creeks, and three rivers, our capital is laced together with bridges – seven spans can be seen in the fantastic view from Mount Washington – (ang.) nasze miasto, miasto wzgórz, dolin i trzech rzek, jest połączone ze sobą mostami – można zobaczyć siedem przęseł w fantastycznym widoku z Mount Washington

attractive suburban communities and shopping malls dot roads east from the Golden Triangle - farther east, the Laurel Mountains offer a source of scenic beauty and serve as the location for winter and summer resorts and recreation - (ang.) atrakcyjne podmiejskie społeczności i centra handlowe znaczą drogi na wschód od Złotego Trójkąta - dalej na wschód, Laurel Mountains ofiarowują piękno sceniczne i służą jako miejsce letniego i zimowego wypoczynku

ja latif! - (arab.) zwrot religijny, zwykle używany dla wyrażenia niezadowolenia lub zdegustowania.

Heloiza i Abelard

ah, comme elle est jeune! - patiente un peu, chéri, je vais lui tirer tout son sang! - (franc.) ach, jaka młodziutka! - odrobinę cierpliwości, kochanie, zaraz wyciągnę z niej całą krew!

toi viens ici, le bicot! - tu as la chance de ne pas te salir, tu es encore plus noir que le charbon! - (franc.) choć tu, koziołku, masz szczęście, nie ubrudziłeś się, jesteś czarniejszy od węgla

pas la peine de frotter ta gueule de bougnoul, tu resteras toujours aussi sale! - (franc.) nie warto ci czyścić gęby, ty już zawsze będziesz taki czarny!

uasz ka-iddurek biz-zaf? - (arab.) bardzo cię boli?

la, ghir szi szuya, rtah hdaja, bghit nnaas maak, ana ferhana! – (arab.) nie, tylko trochę, odpocznij przy mnie, chcę spać z tobą, jestem zadowolona!

habibi – (arab.) przyjaciel, ukochany

asz hada, d-demm? – (arab.) czy to krew?

my goodness, how do you feel, sir? – (ang.) mój Boże, jak się pan czuje, proszę pana?

hey man, are you crazy? – (ang.) hej, stary, zwariowałeś?

Hipoteza dotycząca mieszkańca piekieł

szuf, ma aareftihsz? – (arab.) patrz, nie poznajesz go?

szkun? – (arab.) kogo?

r-radżel gales aal sz-szilija! – (arab.) mężczyzny siedzącego na krześle!

faín hwa? – (arab.) gdzie jest?

rah, rah, hda t-tabla d-el-muaalimín! – (arab.) jest tam, jest tam, obok stołu nauczycieli!

tbarak allah, daba aad szuftu! – (arab.) wielki Boże, teraz go widzę!

ahlan-wa-sahlan, faín kunti?, asz had el-ghiba?, marhaba bik, s-salamu aali-kum – (arab.) cześć, gdzie się podziewałeś? gdzie zniknąłeś? witaj, pokój z tobą

Jak wiatr w sieci

merde, j'ai les reins brisés! – (franc.) cholera, mam pogruchotane nerki!

eh, toi, le gamin, qu'est-ce que c'est que ce bâton qui te pend entre les jambes? – (franc.) ej ty, młodzieńcze, co to za pała wisi ci między nogami?

ce n'est pas vrai! – mais c'est énorme! – (franc.) to niemożliwe! – ależ on jest ogromny!

Wiadomości z zaświatów

video meliora proboque, deteriora sequor – (łac.) widzę i pochwalam to, co lepsze, lecz wybieram gorsze

hwa sahbi, aandu denb tawil – (arab.) to mój przyjaciel, ma wielkiego penisa

nesrani - (arab.) nazareński, w znaczeniu chrześcijański, europejski

Lektura przestrzeni na Dżema el-Fna

Juan Ruiz, prałat z Hity, autor *Księgi o dobrej miłości* z pierwszej połowy XIV w.

fi sabili l-lah – (arab.) niech Bóg wam wynagrodzi

Spis rzeczy

Przybyły z tego świata   9
Anioł   21
Morski cmentarz   31
Sic transit gloria mundi   40
Dar Debbagh   50
Le salon du mariage   58
Zimowe mieszkanie   79
Androlatra   86
Sightseeing-tour   101
Radio Liberty   123
Heloiza i Abelard   134
Hipoteza dotycząca mieszkańca piekieł   154
Jak wiatr w sieci   169
Wiadomość z zaświatów   176
Lektura przestrzeni na Dżema el-Fna   192
Aneks   214

Cytat z *Manifestu komunistycznego* Karola Marksa zaczerpnięto
z *Dzieł*, t. 4, Książka i Wiedza, Warszawa 1986.
Cytat z *Sonetu 129* Williama Szekspira, tłum. Jerzy S. Sito, PIW,
Warszawa 1982.

Redakcja: Zofia Wasita
Korekta: Jadwiga Piller, Elżbieta Jaroszuk
Redakcja techniczna: Urszula Ziętek

Przekład fragmentów z języka francuskiego: Zofia Wasita

Projekt graficzny serii: Zuzanna Lewandowska
Fotografia wykorzystana na I stronie okładki:
© Getty Images/Flash Press Media
Fotografia autora: © Eberhard Hirsch, Circulo de Lectores

Wydawnictwo W.A.B.
02-502 Warszawa, ul. Łowicka 31
tel./fax (22) 646 01 74, 646 01 75, 646 05 10, 646 05 11
wab@wab.com.pl
www.wab.com.pl

Skład i łamanie: Komputerowe Usługi Poligraficzne
Piaseczno, ul. Żółkiewskiego 7
Druk i oprawa: Drukarnia Wydawnicza
im. W.L. Anczyca S.A., Kraków

ISBN 978-83-7414-153-6
ISBN 83-7414-153-0